図解でわかる 14歳からのLGBTQ+

社会応援ネットワーク 著

はじめに

今なぜLGBTQ＋について知ることが大切なのか

この本は、図説でLGBTQ＋や「ジェンダー」、「性」について、様々な角度から知ったり、学んだりできる本です。LGBTQ＋という言葉は、当事者や支援者が声をあげ、活動してきたことで、近年、広く社会に知られるようになりました。一方で、「自分の周りにはLGBTQ＋の人はいない」と考える人も多いようです。本当にみなさんの周りにはいないのでしょうか？　また、みなさん自身は本当に当事者ではないのでしょうか？　この本では、「LGBTQ＋が1クラスに3人はいる計算」になることや「学校の制服がトランスジェンダーなどに対応して変化してきた」ことなどを、図説を使ってわかりやすく紹介しています。読んだり、眺めたりするうちに、LGBTQ＋がとても身近なテーマになっていくことでしょう。

LGBTQ＋とSDGs

2015年、国際連合サミットで2030年までに達成をめざす世界目標として、持続可能な開発目標（SDGs）が採択されました。その時、当時の国連事務総長パン・ギムン氏は、「LGBTはSDGsのすべての項目に関わる問題であり、『誰も置き去りにしない』というSDGsのモットーに含まれている」と述べました。また、ジェンダーについては、目標5に「ジェンダー平等を実現しよう」と掲げられました。

LGBTQ＋やジェンダーは国際的な課題として、今、私たち一人ひとりが知り、考え、実践する必要がある問題です。この本を手にとったみなさんが、本書を通して知ったことや考えたことをもとに、自分の考えを発表したり、人と話し合ったりすることは、SDGsがめざす世界に一歩近づくことにもなるのです。

SUSTAINABLE DEVELOPMENT GOALS

SDGs

持続可能な開発目標。2015年に国連サミットで採択された、2030年までに達成をめざす国際的な目標のこと。環境や開発に関する17の目標と各目標を実現するための169のターゲットからなる。

LGBTQ＋と SDGsの関係性

この本で取り上げている
LGBTQ＋とSDGsの
関わりの一部を紹介します

貧困を なくそう

ゲイやレズビアン、トランスジェンダーの人はそうでない人よりも収入が低いという調査結果があります。

すべての人に 健康と福祉を

LGBTQ＋の人は既存の医療や福祉を受けづらかったり、スポーツへの参加を制限されたりすることがあります。

質の高い教育を みんなに

LGBTQ＋の人は、男女分けが多い学校現場に馴染めなかったり、いじめを受けることが多かったりします。

平和と公正を すべての人に

マイノリティーであるLGBTQ＋の人には、必要な支援が届きにくい現状があります。

ジェンダー平等を 実現しよう

ジェンダー平等の意識が低い場は、LGBTQ＋の人にとっても居心地がよくありません。

人や国の 不平等をなくそう

同性同士で結婚できないのは不平等という考え方があります。世界でも同性婚が導入された国はだんだんと増えています。

働きがいも 経済成長も

LGBTQ＋の人が働きやすい職場に勤めている人は、安心して働ける（心理的安全性が高い）という調査結果があります。

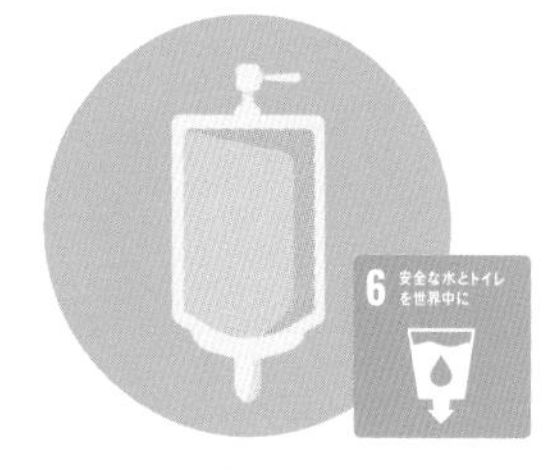

安全な水と トイレを世界中に

トランスジェンダーの人の日常生活の大きな困りごとの一つに男女別トイレが使いにくいというものがあります。

本書の構成

この本は、見開き完結型のQ&A形式で構成されています。LGBTQ＋に関わるテーマには様々なものがあり、複雑に絡み合っていますが、私たちの日常生活に根ざした素朴（そぼく）な疑問をもとに32個の質問に整理し、4つのPARTに分けました。それぞれのPARTは、自分自身のことから、周囲の人々も含めた日常生活、地域や国といった社会、そして地球社会へとだんだんと理解を広げていってもらうイメージで次の通りに並べました。

PART1 LGBTQ＋を自分ごととして捉える

LGBTQ＋をはじめとしたセクシュアル・マイノリティーについて知るとともに、「男」「女」という区分を超えて、性のあり方を捉える視点を学びます。最後のページには自分のセクシュアリティーを知るためのワークシートも用意しました。

PART2 LGBTQ＋と日常生活

LGBTQ＋の人々が日常生活を送る上で、どんなことに困るのか、それに対して周囲の人がどんな対応ができるのかなど、具体的な状況に沿って考えます。近年、問題になってきたカミングアウトやアウティングについても解説しています。

PART 3　LGBTQ＋と法律・制度

LGBTQ＋をめぐる法律・制度とジェンダーをめぐる社会の現状を学びます。世界各国の現状を知って、日本はどんなところが遅れているのか、これからどうしていけばいいのかを考えてみましょう。

PART 4　LGBTQ＋と文化・表現

LGBTQ＋をめぐる文化や表現、そこから生まれた「ジェンダーニュートラル」という考え方について紹介します。法律や制度はすぐには変わりませんが、文化や表現は私たち自身の心がけや行動で変えることができるものです。その影響は、国境を越えて広がっていくことでしょう。

本書の使い方

PART 1から順番に読み進んで、LGBTQ＋に関わるテーマの広さと深さを感じてもらうこともできますし、興味があるテーマから、または知りたいと思う質問のページを、辞書を引くような感覚で読んでもらうこともできます。

見開きでひとつのテーマが完結するため、関係する見開きページだけを抜き出して、学校の授業や勉強会などの資料として活用していただくこともできます。ぜひ、本書を使って、LGBTQ＋についての学びを深め、自分なりの考えをまとめたり、周りの人と話し合ったりしてみてください。

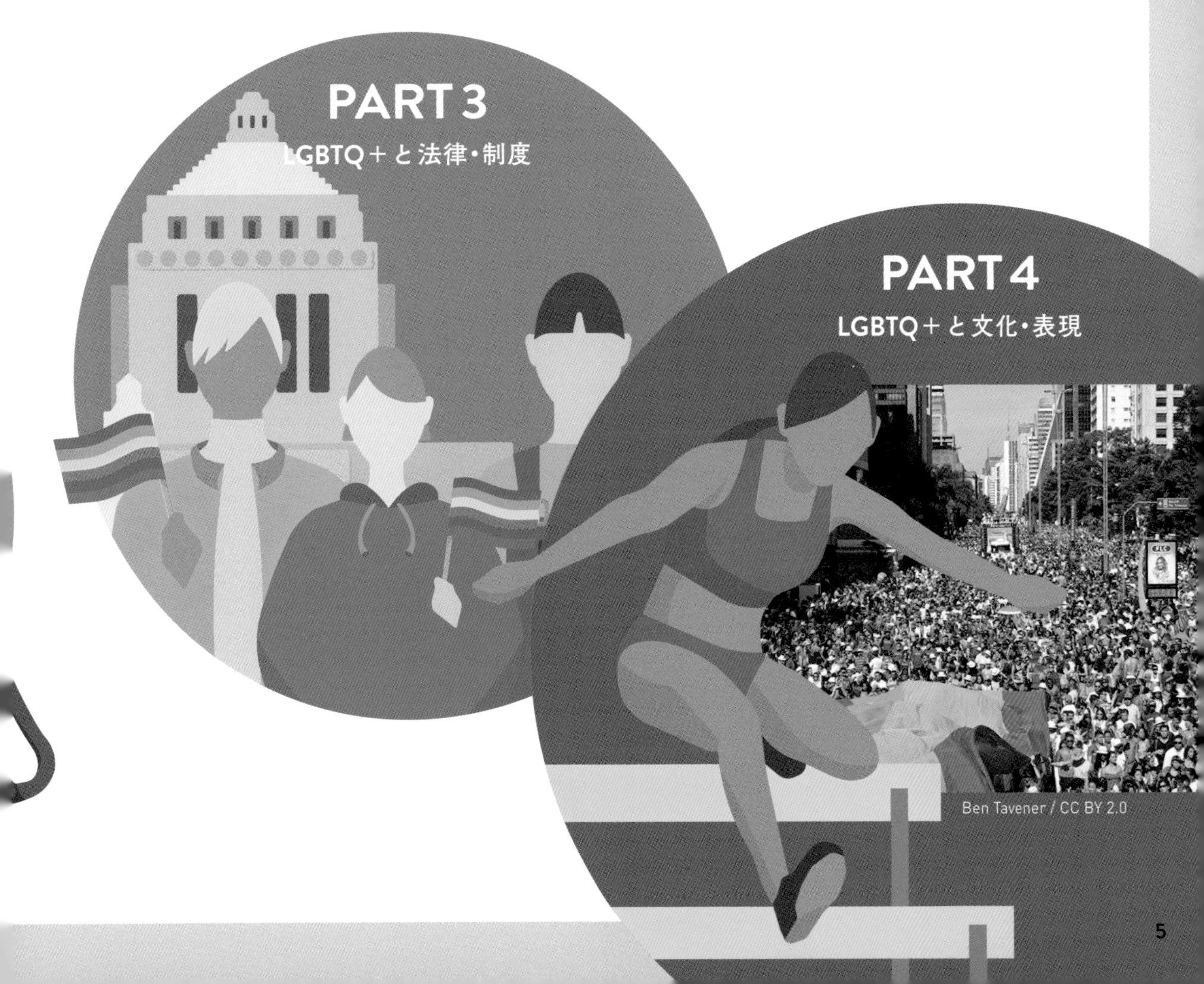

図解でわかる14歳からのLGBTQ＋

もくじ

PART 1 LGBTQ＋を自分ごととして捉える

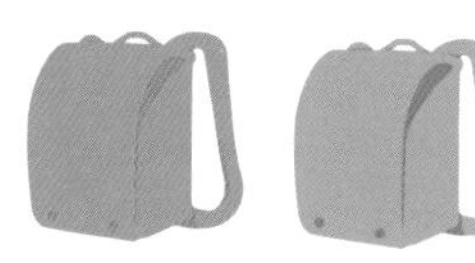

PART 2 LGBTQ＋と日常生活

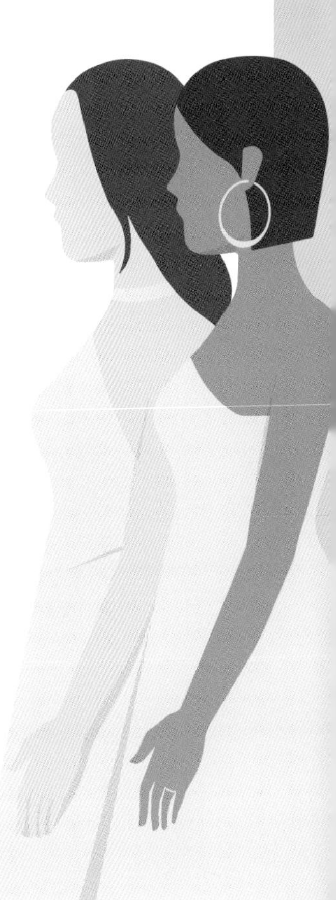

PART 3 LGBTQ＋と法律・制度

PART 4 LGBTQ＋と文化・表現

会社でカミングアウトした。
上司が謝ってくれた。
「もし、今まで傷つけて
いたら、ごめん」

自分のセクシュアリティーのこと、
誰にも伝えたことがない。
けれど、いつか堂々と
語れるようになりたい。

「愛する人と安心して
幸せに暮らすこと。
その権利は本来
誰もが持っている。」

PART 1

LGBTQ＋を自分ごととして捉える

LGBTという言葉は年を追うごとに知られるようになっていますが、一方で「自分の周囲にはLGBTの当時者はいない」と考える人が多いという結果も出ています。本当に自分の周りにはいないのでしょうか。この章では、LGBTQ＋をはじめとしたセクシュアル・マイノリティーについて知るとともに、私たちが当たり前と思ってきた「男」「女」という区分を超えて、性のあり方を捉える視点を知り、自らのセクシュアリティーを振り返ってみましょう。

章もくじ

Q 「男らしい」「女らしい」ってどういうこと?

A 男・女で分ける考え方はだんだんと変わってきています。

私たちの社会では、生活のあらゆる場面で「男」「女」に分けられることがあります。人をそのどちらかに分類する考え方のことを「性別二元論」といいます。見た目（髪型（かみがた）、着る服の種類や色）、行動（言葉づかいや態度、コミュニケーションの取り方）なども「男」「女」のどちらかに当てはめられがちで、イメージから外れると「男らしくない」「女らしくない」と言われたりすることもあります。「外で仕事をするのはお父さん、家で家事をするのはお母さん」というようなイメージもそのひとつで、これらは、ジェンダー・ロール（性役割）と言われています。生まれた時の身体的特徴に基づいて割り当てられた性によって、期待される役割

ジェンダー・ロールは日本だけの話ではなく、様々な国でも同じような固定観念があります。固定観念から期待される態度・行動を、無意識のうちにしていることが多く、自分がしてきたことだからと子どもにもそれを押し付けてしまうと、それが「常識」となってしまいがちです。

が決まってきてしまうのです。こうした考え方は「性別役割分担」とも呼ばれ、人々の意識の中に根強く残っています。

性別二元論から性の多様化へ

性別二元論に基づく考え方は近年、徐々(じょじょ)に変化してきています。例えば、性別が持つ色のイメージです。ランドセルは、昔は、「男の子は黒・女の子は赤」というイメージが強く、その他の色はほとんど売られていませんでした。しかし、2021年の調査では、女の子のランドセルで最も購入(こうにゅう)された色は赤ではなく「紫・薄紫」でした。制服も、男女関係なくパンツスタイルが選べるものが登場しています。

大学で理系を選ぶ女性は1975年からの40年間で4倍に増え、仕事をする上でも、男女雇用(こよう)機会均等法などの法律が整えられてきています。「男らしく」「女らしく」から「私らしく」へ、少しずつ社会は変化しているのです。

このページのキーワード

【性別二元論】
性を「男」と「女」のどちらかに分類する考え方のこと。

【ジェンダー・ロール】
社会生活で性別によって固定的な役割を期待されること。例えば、「男は外で仕事をするべき」など。

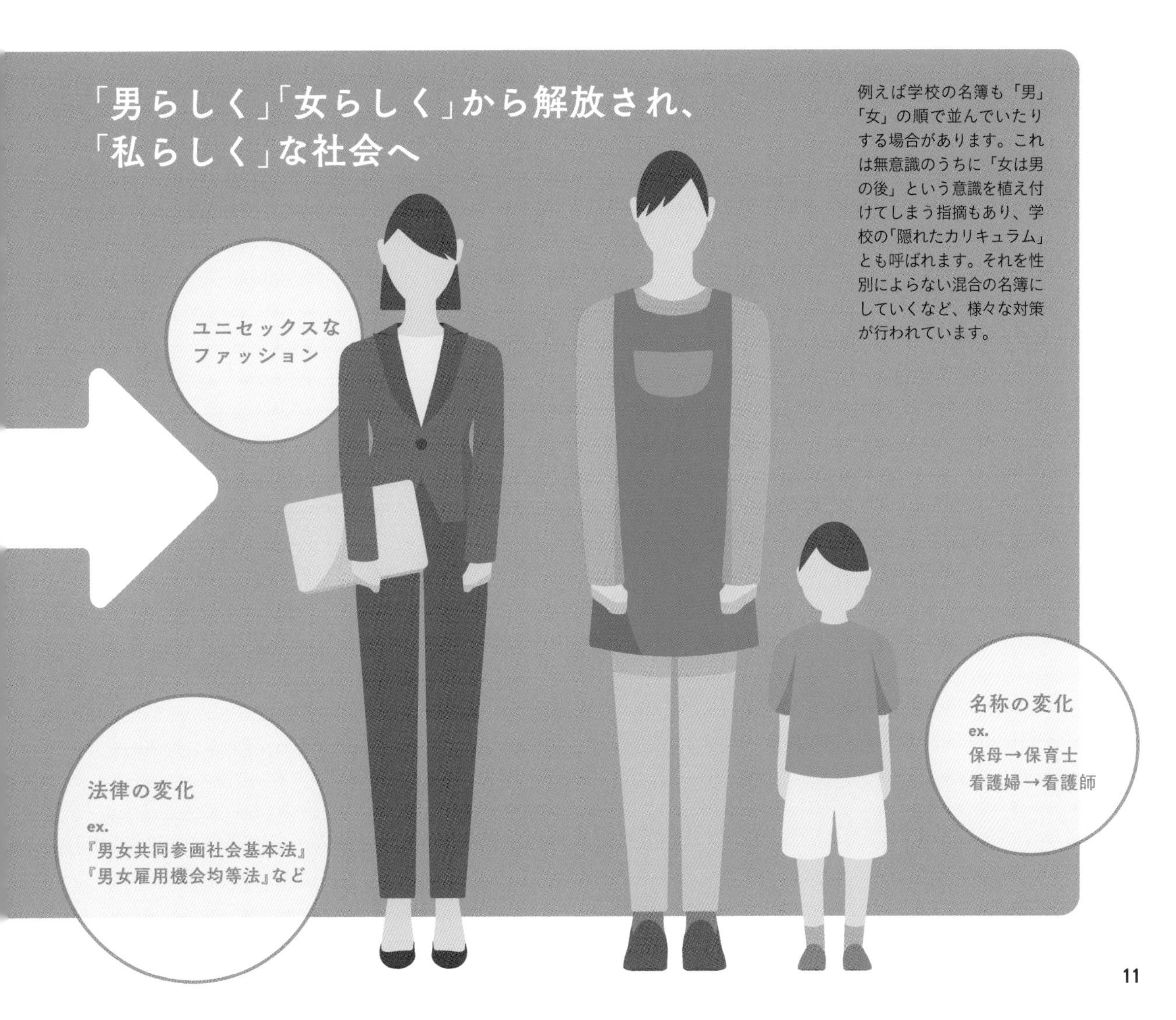

Q 「男」「女」以外に性別ってあるの?

A その2つに当てはまらない性のあり方もたくさんあります。

書類に性別欄があり、「男」「女」のどちらかを○で囲んだ経験がある人は多いのではないでしょうか。この2つは、生まれた時に割り当てられた性別であり、出生届に記入された法律上の性別のことです。「戸籍上は男性になっているけれど、本当は自分自身のことを女性だと思っている」。このように思う人はどうしたらいいのでしょうか。

性（セクシュアリティー）のあり方を表すのに、「男」「女」の2つだけで考えるのではなく、4つの軸を使う考え方があります。生まれた時に割り当てられた性別（法律上の性別）、性自認（自分で思っている性別）、性的指向（好きになる性別）、性表現（自分の性をどう表現するか）です。「自分は女の子だと思っているけど、自分のことは僕って言うし、メンズの服をよく着てるから、70％くらい男子で30％くらい女子」という人も、「男女半々くらいかな」という人もいるでしょう。すべての軸で100％女性、100％男性という例は少ないかもしれません。セクシュアリティーはこのようにグラデーションで表すことができるのです。

このような考え方を表す単語として、4つの軸のうち、「性的指向(Sexual Orientation)」と「性自認（Gender Identity)」の頭文字を取った、「SOGI」（ソジ）という言葉があります。LGBTQ＋は、性的少数者（セクシュアル・マイノリティー）の人々を表していますが、SOGIはそうした人も含んだすべての人の性のあり方を示す言葉になっています。

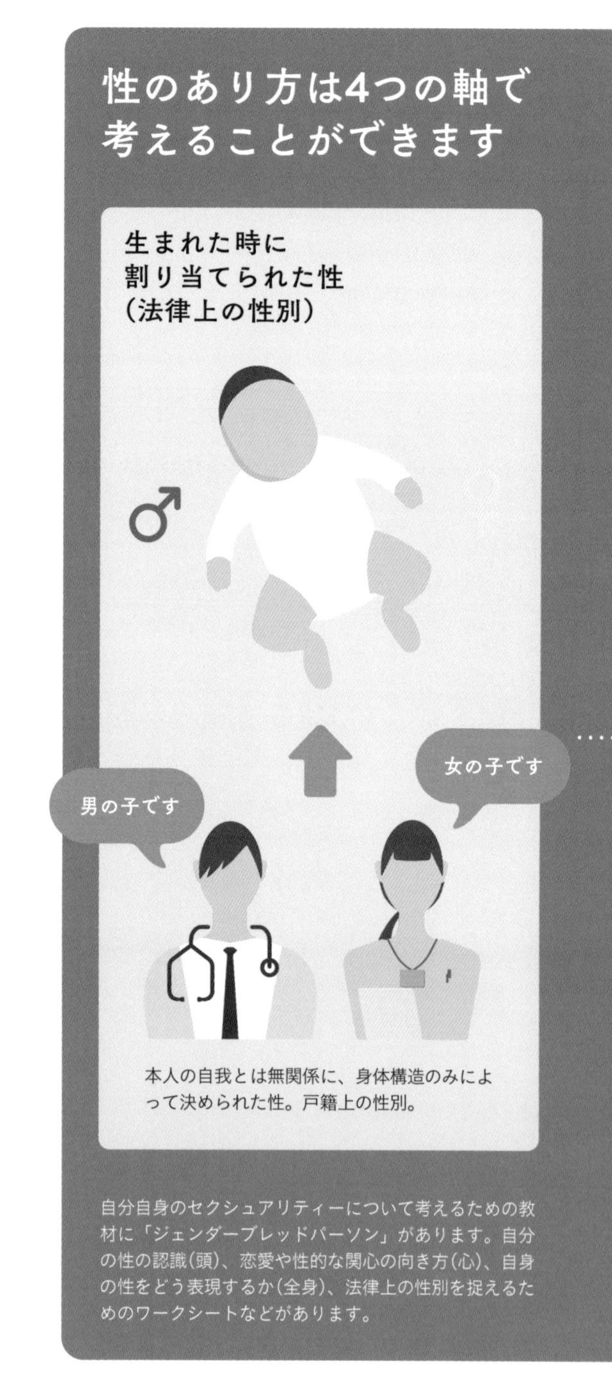

性のあり方は4つの軸で考えることができます

本人の自我とは無関係に、身体構造のみによって決められた性。戸籍上の性別。

自分自身のセクシュアリティーについて考えるための教材に「ジェンダーブレッドパーソン」があります。自分の性の認識(頭)、恋愛や性的な関心の向き方(心)、自身の性をどう表現するか(全身)、法律上の性別を捉えるためのワークシートなどがあります。

このページのキーワード

【性自認（Gender Identity）】
自分の性をどう認識しているかのこと。「こころの性」と呼ばれることもある。

【性的指向（Sexual Orientation）】
恋愛や性的な関心がどの性別に向くか・向かないかのこと。

【性表現（Gender Expression）】
着る物や言葉づかいなど、自分の性をどう表現するかのこと。

【セクシュアリティー】
法律上の性、性自認、性的指向、性表現などを含んだ性のあり方の総称。

【セクシュアル・マイノリティー】
性的少数者のこと。レズビアン・ゲイ・バイセクシュアル・トランスジェンダーなどを含む総称として使われることが多い。

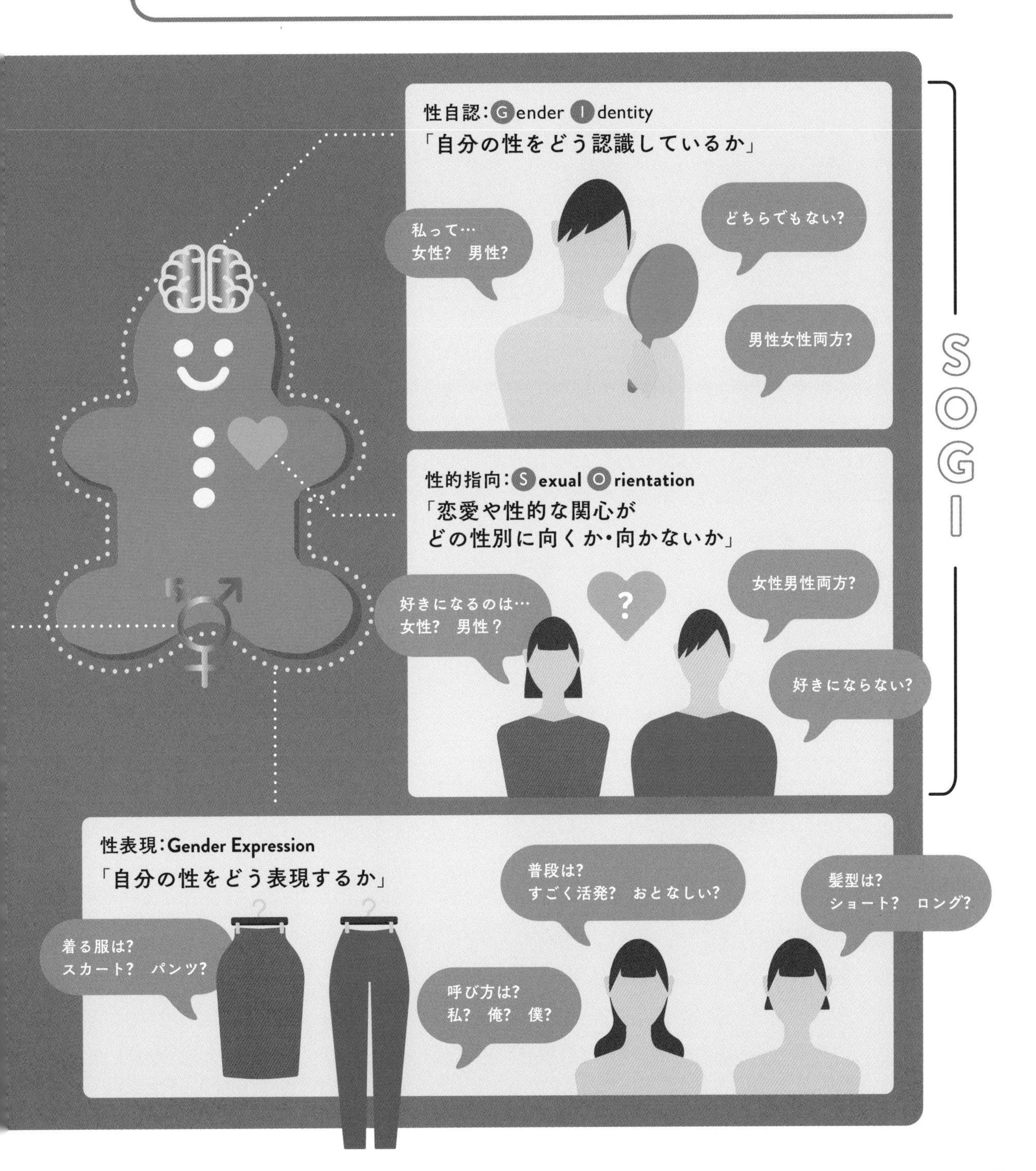

Q 最近よく耳にするLGBTQ＋ってなんのこと?

A 性的少数者(セクシュアル・マイノリティー)の人たちを表す呼び方のひとつです。

LGBTQ＋とは、それぞれの言葉の頭文字から取った表現で、セクシュアル・マイノリティーの人たちを表す総合的な呼び方のひとつです。Lesbian（レズビアン）とは、女性の同性愛者、つまり女性を恋愛対象として好きになる女性です。Gay（ゲイ）とは男性の同性愛者のことです。Bisexual（バイセクシュアル）は、自身の性を問わず男性と女性、両方の性を好きになる人のことをいいます。レズビアン＝男性的な外見、ゲイ＝女性的な外見というわけではありません。見た目は関係なく、自分の性と好きになる人の性の関係で表されます。

Transgender（トランスジェンダー）は、生まれた時に割り当てられた自身の身体の性別と、性自認（自分で思っている性別）が違っている人のことを表します。例えば、女の子として生まれて生活しているけれど、どうしても制服のセーラー服が着たくなかったり、「女性」として生きていくことが苦痛だったりすることがあります。その中には性同一性障害と診断（しんだん）される人もいます。

Questioning（クエスチョニング）は、性自認や好きになる性について、わからない・決められない、あるいは、あえて決めていない人のことをいいます。

これらの枠組（わくぐ）みに当てはまらない人たちも含めて表すために、＋（プラス）がつけられています。

多数派にも呼び名がある

生まれた時の性別と性自認が一致している人のことは「シスジェンダー」といいます。女性が男性を、男性が女性を好きになるのは異性愛と呼ばれ、「ヘテロセクシュアル」といいます。それは「普通」のことではないか、と思うかもしれませんが、「普通の人」とは呼びません。例えば、あなたが生まれた時に女性で・自分のことを女性と思っていて・男性を好きになる場合は、「シスジェンダーのヘテロセクシュアル」の人ということになるのです。

このページのキーワード

【セクシュアル・マイノリティー】
性的少数者のこと。レズビアン・ゲイ・バイセクシュアル・トランスジェンダーなどを含む総称として使われることが多い。

【性自認（Gender Identity)】
自分の性別をどのように認識しているかを表す概念。「こころの性」と呼ばれることもある。

【性同一性障害（GID：Gender Identity Disorder)】
身体的性別と性自認が異なる人の中でも、特に精神医学的に診断基準を満たした人のこと。

LGBTQ＋ってなんだろう…下の図を見てみよう

「L・G・B」は、好きになる相手のこと、「T」は自身の性別のこと、「Q」はそれらを決めていないこと、「＋」は多様な性を表しています

私が好きになる相手

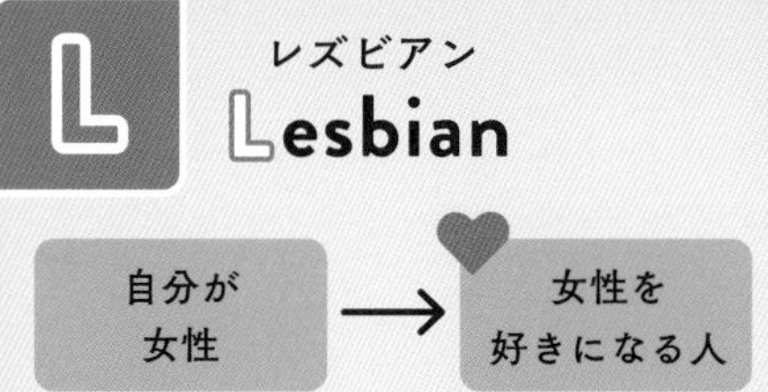

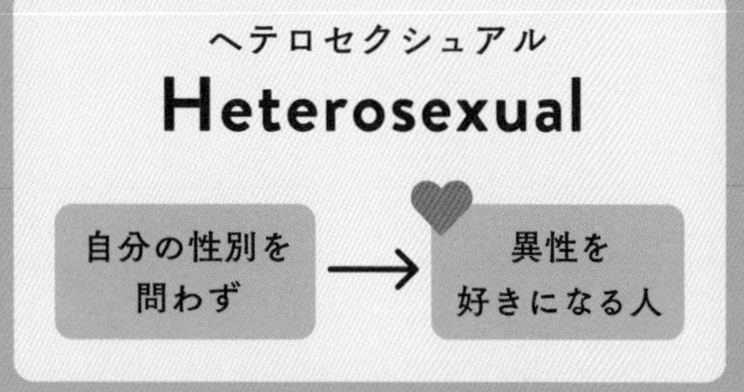

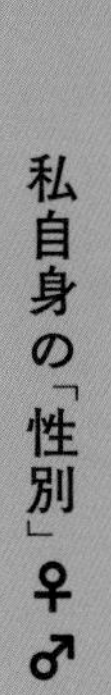

♀♂決めない・決まらない

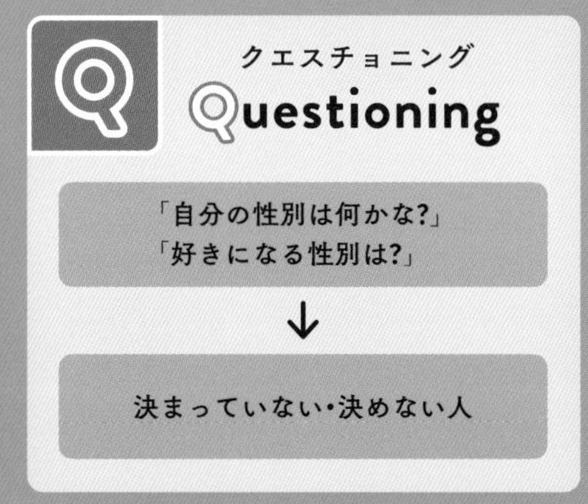

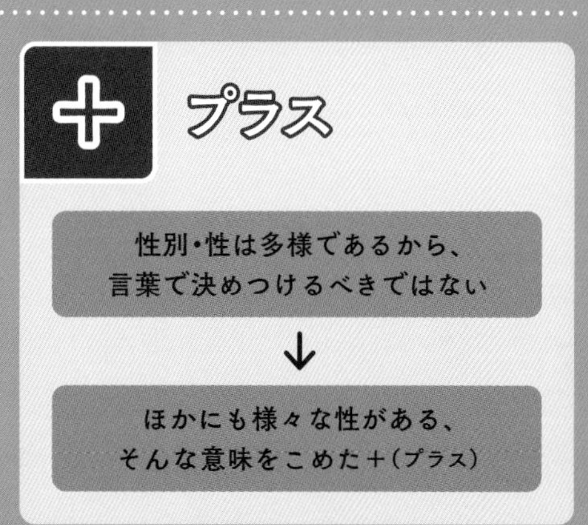

Q LGBTは聞いたことがあるけれど、Q＋とは、何を表しているの？

A 言葉では表現しきれない、様々な性の多様性を表しています。

近年、LGBTという言葉を知っている人は飛躍的に増えていて、2020年の調査では約8割の人が知っていると回答しています（電通ダイバーシティ・ラボ「LGBTQ＋調査2020」）。しかし、LGBTQ＋という表現になると、Q（キュー）や、＋（プラス）とはなんだろう、と思う人も多いのではないでしょうか。

＋（プラス）とは多様性を表現している

LGBTはLesbian（レズビアン）、Gay（ゲイ）、Bisexual（バイセクシュアル）、Transgender（トランスジェンダー）の、それぞれの言葉の頭文字を取った表現になっています。LGBTQのQは、Questioning（クエスチョニング）といって、自身の性のあり方がまだわからない・決めていない・あえて決めない人のことを表現しています。現在はLGBTQ＋といっていますが、これには他にも「LGBTTQQIAAP」などのバリエーションがあります。

性自認や性的指向などは一人ひとり違います。LGBTQ＋の＋（プラス）は、言葉では表現しきれない、性の多様性が無限に広がっていることを表しています。しかし、そういう意味を持っていても、「自分のセクシュアリティーはこの表現の中には含まれていない」と感じる人もいるでしょう。LGBTQ＋という表現も、これからまた変わっていくかもしれません。

「LGBTTQQIAAP」とは？

これらは一例であり、例えば、「クイア（クィア）」は、セクシュアル・マイノリティーである自分自身を表現する時に使われる場合もあります。

L レズビアン
女性同性愛者。女性を恋愛対象として好きになる女性

G ゲイ
男性同性愛者。男性を恋愛対象として好きになる男性

B バイセクシュアル
両性愛者。恋愛対象として男性も女性も好きになる人

T トランスジェンダー
身体的な性と性自認が一致していない人

T トランスセクシュアル
強い性的違和感があり、外科的手術などを望む人

Q クイア
セクシュアル・マイノリティーの総称

Q クエスチョニング
自問自答しているセクシュアル・マイノリティー

I インターセックス
身体的な性が男女どちらかの定義に寄らない人

A アセクシュアル
他者に恋愛感情や性的欲求を抱かない人

A アライ
LGBTなどに理解があり支援をする人のこと

P パンセクシュアル
相手の「性」、性自認にかかわらず恋愛感情などを持つ人

このページのキーワード

【性自認（Gender Identity）】
自分の性をどう認識しているかのこと。「こころの性」と呼ばれることもある。

【恋愛指向】
恋愛感情がどの性に向くか・向かないかのこと。

【性的指向（Sexual Orientation）】
性的な関心がどの性に向くか・向かないかのこと。恋愛指向を含めて性的指向ということもある。

【性表現（Gender Expression）】
着る物や言葉づかいなど、自分の性をどう表現するかのこと。

【性別二元論】
性を「男」と「女」のどちらかに分類する考え方のこと。

【アライ（Ally）】
主にLGBTQ＋の当事者ではないが、その人たちを理解し支援したいと思う人のこと。

＋（プラス）には多様な性が含まれます

「LGBTTQQIAAP」など、頭文字を取った表現には様々なバリエーションがあります。少し前までは、「LGBTI」と表現されていたこともありました。セクシュアリティーはグラデーションであり、極端に言えば一人ひとり違うものです。そのため、最近では「＋(プラス)」記号によって、その広がりを表現しています。

性的指向・恋愛指向から見た性

アセクシュアル（Asexual）
他者に性的関心を持たない人、性的行為への欲求が低いまたはない人。ノンセクシュアルということもある

デミセクシュアル（Demisexual）
他者に性的関心を持たないが、特に相手への強い信頼や結びつきなどがある場合に限って性的な欲求を感じる人

パンセクシュアル（Pansexual）
相手の性、性自認にかかわらず性的関心を持つ人。「全性愛」ともいわれる

アロマンティック（Aromantic）
他者に恋愛的関心、恋愛指向を持たない人
※他者に性的指向および恋愛指向を持たない人をアセクシュアルということもある

デミロマンティック（Demiromantic）
他者に恋愛的関心を持たないが、特に相手への強い信頼や結びつきなどがある場合に限って恋愛感情を持つ人

パンロマンティック（Panromantic）
相手の性、性自認にかかわらず恋愛的関心を持つ人。原則、一度に複数人を好きになることはない

身体的特徴から見た性

DSD（Disorder of Sex Development 性分化疾患）
身体的に、典型的な女性あるいは男性の構造に一致しないこと。インターセックス(Intersex)や「半陰陽」と呼ばれていた時代もあったが、差別のきっかけになりかねないとして、現在の呼称に変わった。生まれた時点では男女の判断をすることが難しいが、その後の本人の性自認に合わせて、成長過程で治療を行うことがほとんど

性自認などから見た性

エックスジェンダー（Xgender）
性自認が男性にも女性にもあてはまらない人

クエスチョニング（Questioning）
性自認や性的指向がまだ定まっていない・わからない・意識的に決めていない人

ノンバイナリー（Nonbinary）
性別二元論にとらわれず、自分自身の性自認・性表現に男性・女性をあてはめない人

Q LGBTQ＋の人は自分の周りにどれくらいいるの？

A 最新の調査では、1クラス(35人)に3人はいる計算です。

LGBTQ＋に代表されるセクシュアル・マイノリティーの人々の割合については、政府機関などによる公的な統計データがなく、民間団体・企業などによる様々な調査結果が報告されています。2020年12月に実施された電通ダイバーシティ・ラボの「LGBTQ＋調査2020」によると、日本の20〜59歳でLGBTQ＋層の人は8.9%、約11人に1人ということが明らかになりました。1クラス（35人）に3人はLGBTQ＋層の人がいる計算です。

LGBTQ＋の人はあなたの周囲にいるかもしれない

国立社会保障・人口問題研究所の調査で「自分の周囲にLGBT当事者はいない・いないと思う」人の割合は87.5%に上っていますが、それは気づいていないだけかもしれません。

日本

8.9% … 約11人に1人

35人のクラスだったら、約3人が…

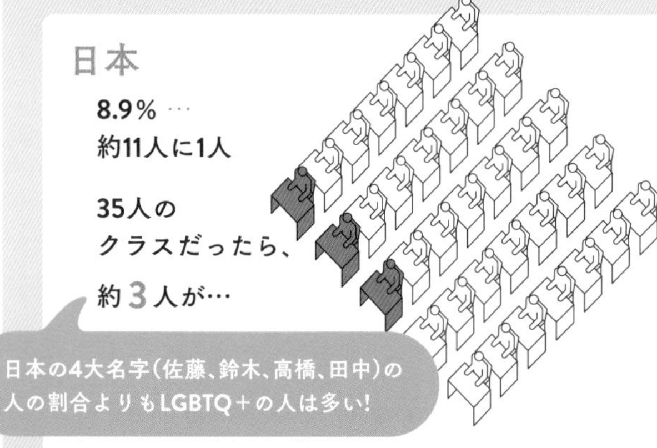

日本の4大名字（佐藤、鈴木、高橋、田中）の人の割合よりもLGBTQ＋の人は多い！

電通ダイバーシティ・ラボ「LGBTQ+調査2020」

LGBTQ＋と自認する人はだんだんと増えている

LGBTという言葉が浸透するとともに、自認する人の割合も高まっています。

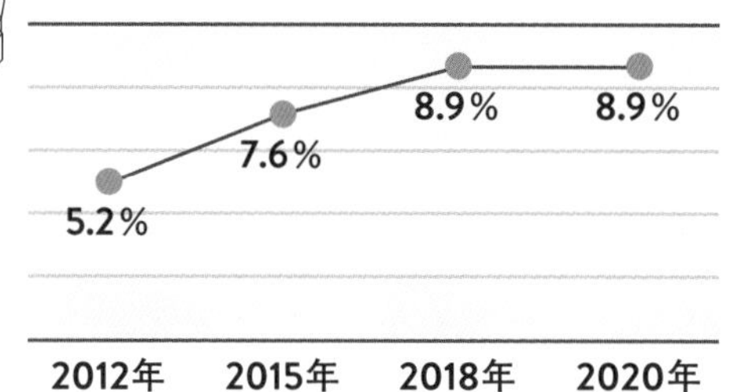

ヨーロッパ諸国

5.9% … 約17人に1人

35人のクラスだったら、約2人が…

Dalia Survey(2016年)

アメリカ

5.6% … 約18人に1人

35人のクラスだったら、約2人が…

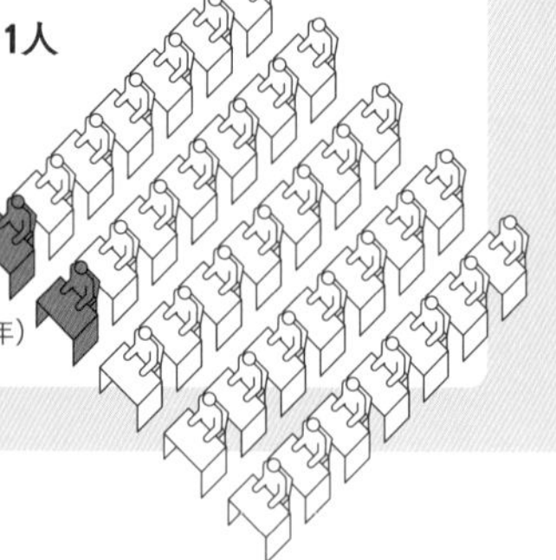

Gallup Daily Tracking(2020年)

調査方法などによってばらつきはあるものの、ヨーロッパやアメリカでは「4%から7%」程度がLGBTQ+層という調査結果が出ています。

世代によって異なるLGBTQ+の人の割合

ヨーロッパ諸国を対象としたDalia社の調査では、若年層ほど自らをLGBTだと見なすことが多いと指摘されています。自らを「完全に異性愛者と見なす人」以外の人の割合は、調査時に30～65歳の人が7.5%だったのに対して、14歳～29歳の人は16%に上っています。

LGBTQ+に対する社会的理解が進むことで、自らがセクシュアル・マイノリティーであると気づいたり、カミングアウトしやすくなったりしたことがひとつの要因として考えられます。

一方で、自らがLGBTQ+であると表明することに恐れを抱いている人も少なくありません。自らの性のあり方（セクシュアリティー）を開示することは、とても繊細(せんさい)な事柄だということです。

このページのキーワード

【セクシュアル・マイノリティー】
性的少数者のこと。レズビアン・ゲイ・バイセクシュアル・トランスジェンダーなどを含む総称として使われることが多い。

【カミングアウト】
これまで伝えていなかった自分自身のセクシュアリティーを周囲に開示すること。

若年層ほど自らをLGBTQ+と見なす

日本では調査がありませんが、海外ではアメリカでもヨーロッパでも、自らをセクシュアル・マイノリティーと見なす割合は若年層になるほど高まっています。

アメリカ

	LGBT	ストレート／ヘテロセクシュアル	無回答
18-23歳	15.9%	78.9%	5.2%
24-39歳	9.1%	82.7%	8.1%
40-55歳	3.8%	88.6%	7.6%
56-74歳	2%	91.1%	6.9%

ヨーロッパ

	完全に異性愛者	それ以外
14-29歳	84%	16%
30-65歳	92.5%	7.5%

※最も年代による差があるのはスペイン

Further knowledge

日本のその他の調査結果

日本国内で近年実施された複数の調査結果でも約8～10%が、「セクシュアル・マイノリティー」であると自認しています。

調査主体	割合	調査年
LGBT総合研究所（博報堂DYグループ）	10.0% 10人に1人	2019年
「働き方と暮らしの多様性と共生」研究チーム（協力：大阪市）	8.2%※ 13人に1人	2019年
日本労働組合総連合会	8.0% 13人に1人	2016年

※ゲイ・レズビアン・バイセクシュアル・アセクシュアル・トランスジェンダーの他に「決めたくない・決めていない」と回答した人も含む

出典：電通ダイバーシティー・ラボ「LGBTQ+調査2020」、Gallup Daily Tracking、Dalia Survey

Q LGBT(Q+)という言葉はどのように広まってきたの?

A 当事者やその支援者が権利獲得のためあきらめずに活動を続けてきた結果です。

LGBTQ＋という言葉は、近年、多くの人に知られるようになりました。しかし、最近まで、同性愛（ゲイ・レズビアン）やトランスジェンダーなどは、「不自然で、本来あるべき姿ではない人」と見なされて、権利の制約を受けたり、迫害されたりしていた歴史があります。LGBTという言葉が広がり、理解されるようになってきたのは、当事者の人々やそれを支援する人々があきらめずに権利を主張し続けてきたからといえます。

社会的な課題として知られるきっかけ

キリスト教の影響が強いアメリカでは、20世紀まで多くの州で同性愛を禁止する法律（ソドミー法）が適用されていました。性的指向を理由とした解雇も違法ではありませんでした。そんな中、1969年、ニューヨークのゲイバー「ストーンウォール・イン」が警察の捜査を受けた時、その場に居合わせた同性愛者らが警官に立ち向かいました。LGBT当事者が公権力に初め

世界で少しずつ広がってきたLGBTQ+の権利

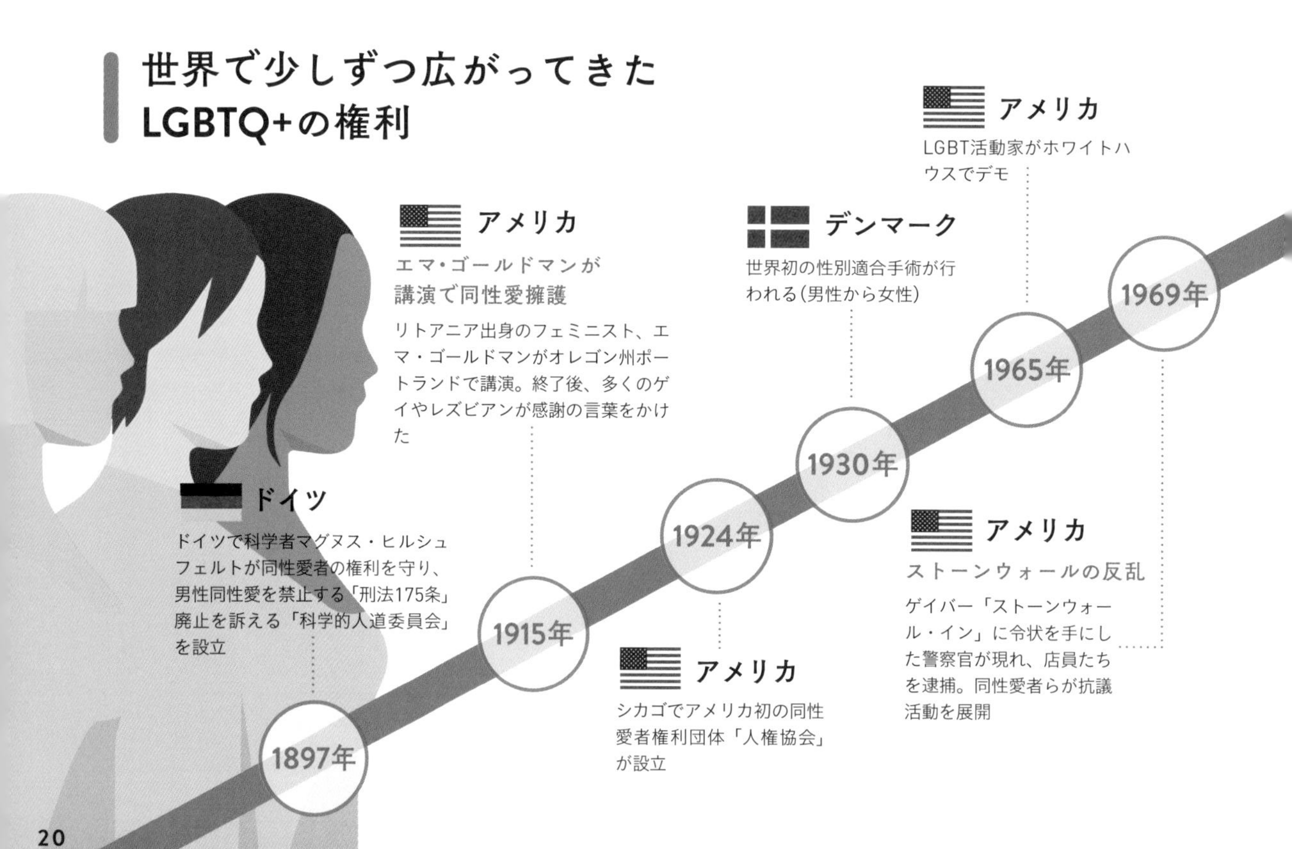

て抵抗した事件として伝えられています。

日本では、1990年、「動くゲイとレズビアンの会」が府中青年の家を利用した際に同じ宿に泊まっていた人たちに嫌(いや)がらせを受け、その後の利用を拒否(きょひ)されたことがありました。これを人権侵害にあたるとして提訴し、勝訴しました。日本国内で初めてLGBTの権利が裁判で認められた例として知られています。

こうした活動が積み重なり、LGBTという言葉は2006年、国際連合の公的文書に初めて用いられました。以降、国連をはじめとした国際機関で、性的指向や性自認などセクシュアリティーにまつわる人権問題を扱う公文書に用いられるようになりました。

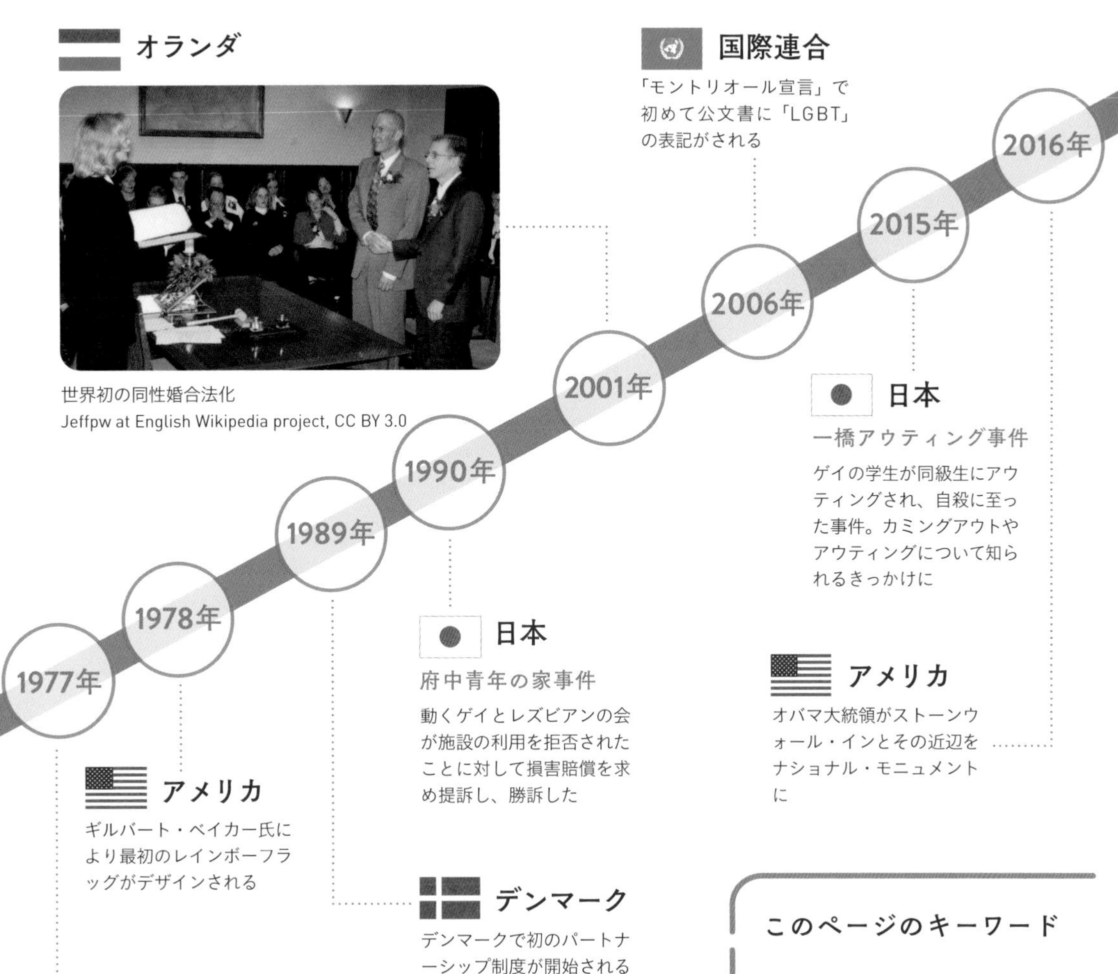

アメリカ

ハーヴェイ・ミルク暗殺事件

サンフランシスコの市政執行委員にゲイであることを公表した上で立候補し、初当選したハーヴェイ・ミルク氏が同僚により射殺。同事件の判決をめぐって、同性愛者らがサンフランシスコで広範囲にわたる暴動を起こした

Daniel Nicoletta, CC BY-SA 3.0

このページのキーワード

【ソドミー法】
同性愛を禁止する法律の通称。ゲイカップルが手をつないで歩くだけで逮捕された事例もある。

【パートナーシップ制度】
戸籍上は同性であるカップルに対して、国や自治体が、2人が生活を共にするパートナーであることを承認する制度。同性・異性を問わない自治体もある。世界では1989年にデンマークで初めてパートナーシップ法が制定された。

Q 多様な性のあり方って具体的にはどんなものがあるの？

A タイでは18の呼び方があると紹介され、Facebookでは58種類の性別が選べます

世の中には男性と女性の2つの性しかなく、人は、生まれた時の戸籍上の性別に基づいて、成長とともに「男らしさ」「女らしさ」を「自然に」身につけ、「自然と」異性を愛するようになるという考え方があります。私たちの社会は、長い間この考え方（性別二元論）が広く浸透していて、そうではないセクシュアリティーの人を「不自然な」人々として、見なしてきました。

しかし、性についての考え方は時代とともに変化し、世界中で今、同性婚の合法化、戸籍上の性別変更の制度化など、多様な性のあり方を前提とした動きが出てきています。

性別二元論から性の多様化へ

LGBT先進国と言われるタイでは18種類の呼び方が報告されています。男性と女性、ゲイ、レズビアン、男性と女性のバイセクシュアルの他、レディーボーイ、トムなどに細分化されています。

また、Facebook（アメリカ版）は2014年から、男性、女性を含め、58種類の性別を選択できるようにしました。日本でも同様の動きがあります。例えば、Yahoo! JAPAN IDの性別欄は、2018年から「その他」「回答しない」が追加されました。2021年4月には、厚生労働省が、性別欄を任意記載とした履歴書の様式例を公表しました。こうした例のように、時代の流れを受けて、性別表記の多様化が進んでいます。

進む性別表記の多様化

Facebookの性別表記の例

- Agender … 無性別者
- Androgyne … 両性。男性・女性といった身体的区別ができない人
- Bigender … 両方のジェンダーを自認しており、男性・女性を切り替えている人
- Gender Fluid … ジェンダーが流動的な人
- Intersex … 中間的な性などのセクシュアリティーの人
- Non-binary … 男性・女性に限定せず、両性が混合または中間的、もしくは全く違うものを感じている人。第3の性とも呼ばれる
- Transsexual Female … 性別適合手術などによって女性になった人
- Transsexual Male … 性別適合手術などによって男性になった人
- Two-spirit … ネイティブアメリカンに伝統的に認識されている多様な性役割を担っている人

日本でも…

会員登録時などの性別の選択肢を追加

before
性別
○男性 ○女性

after
性別
○男性 ○女性
○その他 ○回答しない

履歴書の性別欄の男女二択を廃止

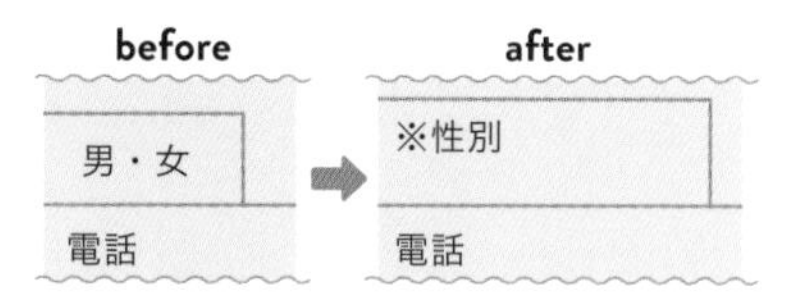

2021年、厚生労働省が初めて様式例を発表

タイの性に関する呼び方の例

タイは性別適合手術の先進国としても知られており、渡航して手術を受ける外国人も少なくありません。

生まれた時の性別が男性

男性
女性が好きな男性
恋愛の相手 ♀

アダム
トムを好きな男性
恋愛の相手 ♀

ボート
女性・ゲイキング・ゲイクイーンが好きな男性
恋愛の相手 ♂ ♀

ゲイキング
男性が好きな男らしいゲイ
恋愛の相手 ♂

ゲイクイーン
男性が好きな女らしいゲイ
恋愛の相手 ♂

レディーボーイ
女性になりたい男性
恋愛の相手 ♂

アンジー
トムを好きなレディーボーイ
恋愛の相手 ♀

生まれた時の性別が女性

レズビアン
女性が好きな女性
恋愛の相手 ♀

トム
女性もしくはディーが好きな男装した女性
恋愛の相手 ♀

ディー
男っぽい女性やトムが好きな女性
恋愛の相手 ♀

バイ
トム・レズビアン・男性を好きな女性
恋愛の相手 ♀ ♂

チェリー
ゲイとレディーボーイが好きな女性
恋愛の相手 ♂

女性
男性が好きな女性
恋愛の相手 ♂

トムゲイキング
トムが好きな男っぽいトム
恋愛の相手 ♀

トムゲイ
女性・トム・ディーが好きな女性
恋愛の相手 ♀

トムゲイツーウェイ
トムゲイキング・トムゲイクイーンのどちらも好きなトム
恋愛の相手 ♀

トムゲイクイーン
トムが好きな女性っぽいトム
恋愛の相手 ♀

サムヤーン
女性もレズビアンもトムもディーも好きになる女性
恋愛の相手 ♀

出典：ABEMA TIMES「性別は18種類 『LGBT』先進国タイの第一線で活躍する人たち」

Q 自分のセクシュアリティーをどのように捉えればいい？

A 性をグラデーションで捉えるようにしてみましょう。

自分のことを「完全に身体の性別と一致していて、完全に異性愛者」（シスジェンダーでヘテロセクシュアル）と思っている人でも、性（セクシュアリティー）のあり方をグラデーションで理解する考え方をしてみると、自分の中にもそうでない部分があるかもしれないと気づくきっかけになるかもしれません。

法律上の性別、性自認（自分で思っている性別）、性的指向（好きになる性別）、性表現（自分の性をどう表現するか）という4つの軸(じく)それ

性のあり方（セクシュアリティー）を表す4つの軸

自分自身のセクシュアリティーについて考えるための教材に「ジェンダーブレッドパーソン」があります。

法律上の性別：
「生まれた時に割り当てられた性」

性自認：Gender Identity
「自分の性をどう認識しているか」

性的指向：Sexual Orientation
「恋愛や性的な関心がどの性別に向くか・向かないか」

性表現：Gender Expression
「自分の性をどう表現するか」

性をグラデーションで捉えてみよう

例えば…

「生まれた時は女性、
自分のことも女性と思っているけど、
男の子になりたい部分もある。
好きになるのは男性、
着る服はスカートが好きじゃないから
パンツばっかりで、
自分のことは『ぼく』って言ってる」

**という人は
右の図のどこに位置する？
自分の性も一緒に考えてみよう**

※図の中のそれぞれの軸上に〇印をつけよう

ぞれを直線または平面上に表した下の図で、自分がどのあたりに位置するのかを考えて、丸をつけてみましょう。

このような考え方で表した自分のセクシュアリティーのことを「SOGI」（ソジ）と呼びます。いろいろな所に○がついたそれが、あなたの自身のセクシュアリティーを表す目安になるでしょう。

このページのキーワード

【シスジェンダー】
生まれた時の性別と性自認（自分が認識する性別）が一致している人のこと。

【ヘテロセクシュアル】
男性が女性を好きになる、女性が男性を好きになるなど、異性愛の人のこと。

【性自認（Gender Identity）】
自分の性をどう認識しているかのこと。

【性的指向（Sexual Orientation）】
恋愛や性的な関心がどの性別に向くか・向かないかのこと。

【性表現（Gender Expression）】
着る物や言葉づかいなど、自分の性をどう表現するかのこと。

【セクシュアリティー】
法律上の性、性自認、性的指向、性表現などを含んだ性のあり方の総称。

【SOGI】
性的指向と性自認の頭文字を取った、LGBTを含むすべての人の性のあり方を示す言葉。

直線で考えると…

● 法律上の性別：
生まれた時に割り当てられたのは？

女性 | 男性

● 性自認：
自分の性をどう思っている？

女性 | 男性

● 性的指向：
好きになる人は？

女性 | 男性

● 性表現：
自分の性をどう表現したい？

女性 | 男性

平面図で考えると…

● 法律上の性別

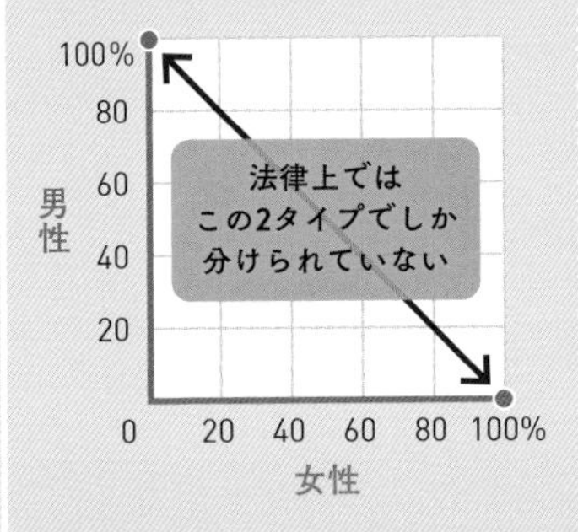

● 性的指向

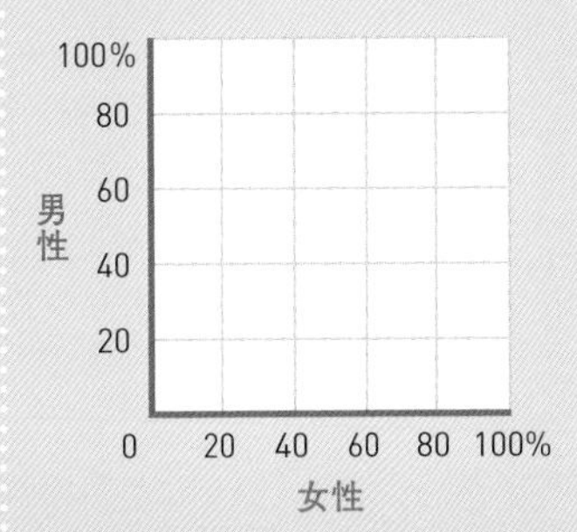

● 性自認

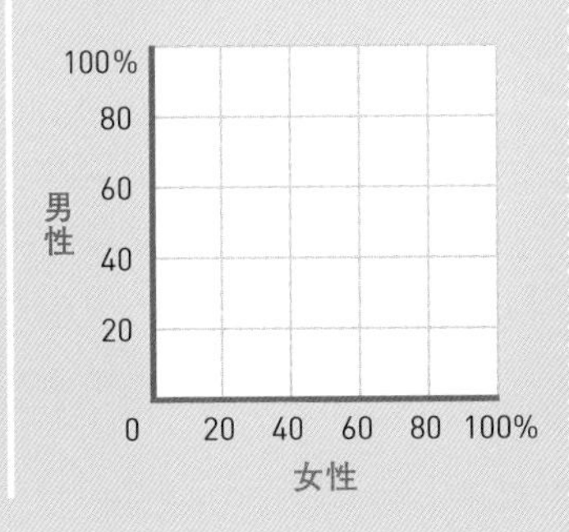

● 性表現

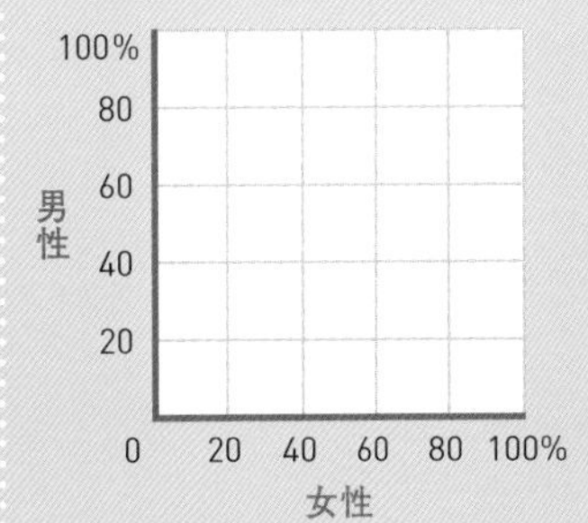

参考：The Genderbread Person https://www.genderbread.org

PART 1 参考文献・資料

【書籍・論文・報告書】

- アイリス・ゴットリーブ（野中モモ訳）『イラストで学ぶジェンダーのはなし みんなと自分を理解するためのガイドブック』フィルムアート社、2021年3月
- 石田仁『はじめて学ぶLGBT 基礎からトレンドまで』ナツメ社、2019年
- いのちリスペクト。ホワイトリボン・キャンペーン「LGBTの学校生活に関する実態調査（2013）結果報告書」
- 神谷悠一・松岡宗嗣『LGBTとハラスメント』集英社新書、2020年
- 木村涼子・伊田久美子・熊安貴美江編著『よくわかるジェンダー・スタディーズ 人文社会科学から自然科学まで』ミネルヴァ書房、2013年
- QWRC&徳永桂子『LGBTなんでも聞いてみよう 中・高生が知りたいホントのところ』子どもの未来社、2016年
- 中塚幹也「性同一性障害と思春期」『小児保健研究』75巻第2号、P154-160 、2016年3月
- 森山至貴『LGBTを読みとく── クィア・スタディーズ入門』ちくま新書、2017年
- ジェローム・ポーレン（北丸雄二訳）『LGBTヒストリーブック 絶対に諦めなかった人々の100年の闘い』サウザンブックス社、2019年
- 藥師実芳・笹原千奈未・古堂達也・小川奈津己『改訂新版LGBTってなんだろう？ 自認する性・からだの性・好きになる性・表現する性』合同出版、2019年
- International Labour Organization「Gender identity and sexual orientation in Thailand」、2014年

【Webサイト・記事】

- **一般社団法人MarriageForAllJapan ―結婚の自由をすべての人に** https://www.marriageforall.jp
- **ジェンダー図解研究所**
  https://lit.link/genderzukaken
- **ジェンダーブレッドパーソン**
  https://www.genderbread.org
- **JobRainbow MAGAZINE**
  https://jobrainbow.jp/magazine/
- **埼玉県「LGBTQ（性的マイノリティ）について」**
  https://www.pref.saitama.lg.jp/a0303/lgbt-pamphlet.html
- **朝日新聞デジタル**
  https://www.asahi.com
  - 「アナ雪効果？ ランドセル女児1位にあの色 業界も衝撃」2021年6月11日
  - 「子どもの性の違和感、いつから？ 専門家に聞く」2021年2月7日
- **旺文社教育情報センター「理系女子入学者調査2016 “理系女子”は本当に増えたのか？」、2016年12月21日**
  http://eic.obunsha.co.jp/pdf/educational_info/2016/1221_1.pdf
- **第一生命「第31回『大人になったらなりたいもの』調査結果を発表」、2020年4月30日**
  https://www.dai-ichi-life.co.jp/company/news/pdf/2020_010.pdf
- **内閣府男女共同参画局「『第1子出産前後の女性の継続就業率』及び出産・育児と女性の就業状況について」、2018年11月**
  http://wwwa.cao.go.jp/wlb/government/top/hyouka/k_45/pdf/s1.pdf
- **HUFFPOST**
  https://www.huffingtonpost.jp
  - 「『すべての性はグラデーション』。枠を外して、性、社会と向き合うには」、2020年8月2日
- **BuzzFeed**
  https://www.buzzfeed.com/jp
  - 「『特別な配慮』が生きづらさを生む場合も。『LGBTを受け入れよう』から『全ての性を尊重しよう』へ」、2020年12月10日
- **電通「電通、『LGBTQ+調査2020』を実施」、2021年4月8日**
  https://www.dentsu.co.jp/news/release/2021/0408-010364.html
- **Medical Note**
  https://medicalnote.jp
  - 「性分化疾患（DSD）とは？性分化疾患の種類や特徴について」、2016年8月2日

LGBTQ＋インフルエンサー 1

column

ココ・シャネル

Coco Chanel

1883～1971

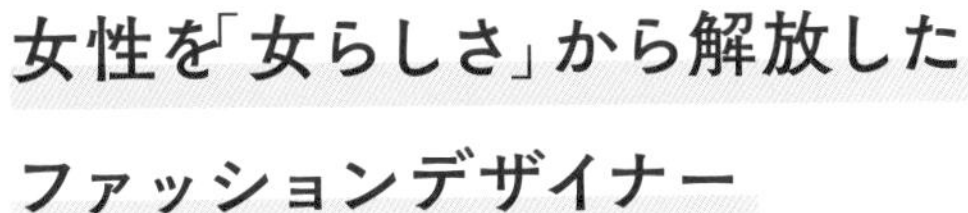

女性を「女らしさ」から解放したファッションデザイナー

ココ・シャネルは、ズボンやツイードスーツなど、従来男性の衣服とされたものを女性のファッションとして確立させました。当時ヨーロッパでは、コルセットでウエストを細く締め、バルーンスカートをはくなどの服装が流行していました。そんな中彼女は、シンプルで機能性の高いデザインの衣服を次々と発表。それは、胸の大きさ、ウエストの細さを際立たせるコルセットから女性を物理的に解放するだけでなく、「女らしさ」の概念そのものからの解放でした。

彼女はまた、十分に教育を受けられなかった中、自力で道を切り開いた人物として女性の自立を促す存在でもあります。

喪服の色だった黒を用いて「リトルブラックドレス」を制作し、モードへと押し上げたのもシャネルです。雑誌『VOGUE』はフォード・モーター社のモデルTが自動車を大衆に広めたのになぞらえ、「シャネルのフォード」と呼びました。その他にも、コスチュームジュエリーや香水など現代のファッションに欠かせない要素を創り出しました。

2011年、彼女の功績をもとに「シャネル財団」が設立され、女性の経済的・社会的地位向上のための活動を続けています。

Profile

1883年
フランスのソミュールで生まれる

1910年
パリに帽子店「シャネル・モード」を開く

1921年
香水「シャネル N°5」を発表

1926年
「リトルブラックドレス」を発表

1939年
第二次世界大戦が始まると、
クチュールハウスを閉め従業員を解雇

1954年
71歳でファッション界に復帰

1971年
住まいとしていたホテルリッツで死去

ココ・シャネルの生涯は、伝記映画『ココ・アヴァン・シャネル』(2009年製作)、『ココ・シャネル　時代と闘った女』(2019年製作)などで知ることができる。

Bru-lay：2,619円（税込）／ DVD特別版：1,572円（税込）
発売元：ワーナー・ブラザース ホームエンターテイメント
販売元：NBC ユニバーサル・エンターテイメント

「教員という仕事は好き。
でも、自分が同性愛者だと
カミングアウトは無理。
保護者はどう思うかな、って。」

「「一緒なら大丈夫でしょ」
男・女のトイレしかなくて
困っていたら、
シスジェンダーの先輩が
一緒にトイレに行ってくれた。」

PART 2

「面接で性同一性障害だと
打ち明けたけど受かった。
さらに、
どうしたら困らないか
丁寧に
ヒアリングしてくれた。」

LGBTQ＋と日常生活

LGBTQ＋という言葉が人々に知られるようになってきて、当事者が直面する日常の困りごとや戸惑いにも少しずつ光が当たるようになってきました。この章では、日常生活を送る上で、自らがセクシュアル・マイノリティーであると気づくきっかけやそのことが生活にどう影響したか、どんなことに困難を感じるのか、それに対してどんな対応ができるのかなど、具体的な状況に沿って考えてみます。

章もくじ

Q LGBTQ＋の自覚はいつ頃芽生えるの？

A 人それぞれきっかけがありますが、小学校6年生から高校1年生の間が多いと報告されています。

性に違和感を持つ時期やきっかけは人によって様々です。例えば、着たくない服を「家で着させられた」のか、「幼稚園で着させられた」のか、「中学校の制服で仕方なく着るしかなかった」のか。それをすぐに「いやだ」と言える人もいるし、もやもやしたまま抱え込んでしまう人もいます。中でもトランスジェンダーの人は、小学校入学以前に自分の性別に違和感を持つ人が多いようです。家の外に出る機会が多くなると、トイレが男女別だったり、保育園や幼稚園で男女別に並ぶことがあったりします。自分は女の子だと思うのに、男の子の列に並ばなくてはいけない。そうしたことが重なるうちに、小学校で不登校になったという経験談もたくさん報告されています。2013年の調査によると、自分はLGBTQ＋であるかもしれない、と自覚した時期は、小学校6年生〜高校1年生の間が多くなっています。

LGBTだと気づくきっかけになるシーンと時期は、様々です

78歳で性別適合手術を受けた人もいる

非異性愛の女子
=6人に1人が中学2年生で自覚

15歳

小学校入学時のランドセル選び。性別に拠った色に違和感を感じるケースも

13歳

性別に違和感のある（トランスジェンダー）男子
=4人に1人が小学校入学前に自覚

非異性愛の男子
=4人に1人が中学1年生で自覚

性別に違和感のある（トランスジェンダー）女子
=6人に1人が中学1年生で自覚

幼稚園や保育園で使う名札・帽子などの色に違和感をおぼえる

6歳

3歳

中学校に入ると、制服が男女ではっきりと別れる。割り当てられたものに違和感をおぼえ、自分のセクシュアリティーについて気づくケースも多い

周りの人に打ち明ける？ 打ち明けない？

自分がLGBTQ＋であると自覚して、カミングアウトした人の約7割は、同級生に打ち明けています。また、非異性愛の人は、先生や家族などの大人に話したのは1割くらいなのに対し、トランスジェンダーの人は2〜3割となっています。必ずしも担任の先生や両親ではなく、「話しやすい大人」に打ち明けている場合が多いようです。

このページのキーワード

【トランスジェンダー（Transgender）】
生まれた時に割り当てられた自身の身体の性別とは、性自認（自分で思っている性別）が違っている人のこと。

【カミングアウト】
これまで伝えていなかった自分自身のセクシュアリティーを周囲に開示すること。

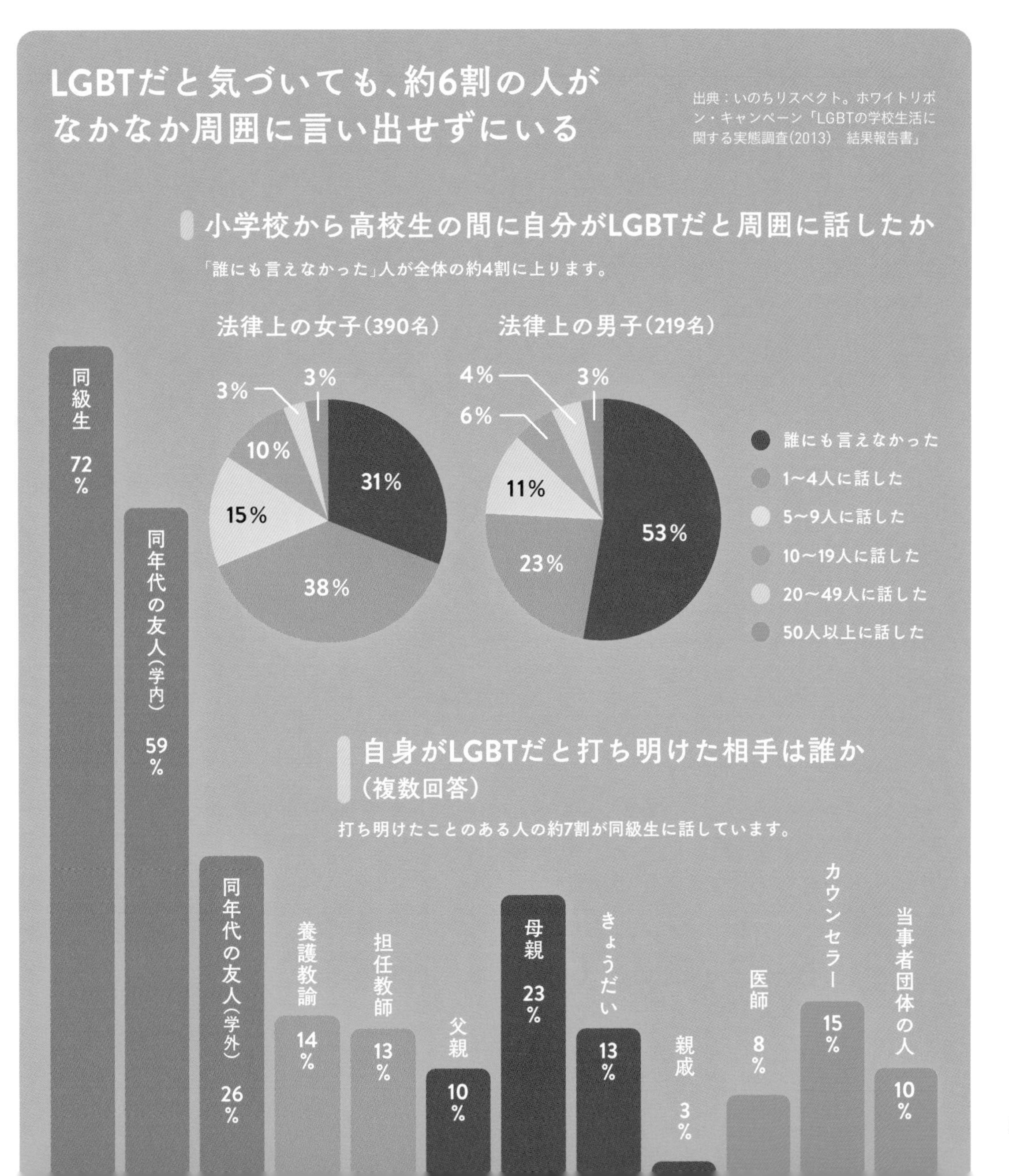

Q 中学生になったら制服でスカートをはかなくてはいけないの？

A 学校の制服はジェンダーレス化が進んでいます。

学校制服ができたのは明治時代です。当時の学校では、求められる人間像も教育内容も男性と女性で大きく異なっていました。

男子学生への期待は、「国家に貢献する人」。外国との戦いに勝てる人を育てようと軍事訓練や体育が重視され、軍服を基準にした「学ラン」が制服になりました。

一方で女子学生に求めるものは、良き妻良き母になることで、生徒たちは和服に袴姿で裁縫などを学んでいました。大正時代に入り、西洋文化が広まると電話交換手などの女性の新しい職業の人たちが洋服で働くようになりました。その頃に女学校がセーラーえりのワンピース制服をつくりました。これがセーラー服の始まりです。

昭和時代、1960年代は、男子は「学ラン」女子は「セーラー服」が定番でしたが、その後、女性の社会進出とともに女子の制服も変化していきました。

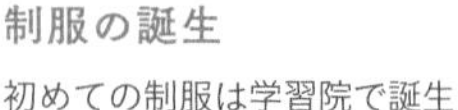

制服の誕生

初めての制服は学習院で誕生

1872年

1879年

1886年

「学ラン」の始まり

帝国大学（現東京大）の制服が金ボタン式つめえり（学ラン）の始まり

1890年

女学生のスタイル「海老茶式部」

袴姿に革靴で自転車に乗るのが当時の最先端ファッション。海老茶色の袴が多かったことから「海老茶式部」と呼ばれた

1920年

セーラーえりの採用

平安女学院（京都市）が、セーラーえりの洋装制服を採用し、大人気に

1921年

上下が分かれたセーラー服を日本で初めて制服に

金城学院（名古屋市）が日本で初めてセーラー服を制服として採用

1960年

「学ラン」、「セーラー服」の定着

男子の「学ラン」女子の「セーラー服」。全国に定着し、制服の象徴に

1970年代には、オリンピック選手団のユニフォームのようなエンブレム付きブレザー型の制服が人気となりました。1980年代には、チェック柄などファッション性の高い制服が話題となり、高校を中心に男子のブレザー型も広がっていきました。

近年は、SDGsの考え方が広まったこともあり、生徒の個性や意思を尊重して、ジェンダーレスの制服を取り入れる学校が年々増えています。男女ユニセックスなデザインの「男女兼用」型やスカート・ズボン・ネクタイなどの組み合わせを自由に選べる「組み合わせ」型などがあります。

2020年、福岡県の福岡市、北九州市が全公立中学校をブレザーの組み合わせ型に変更しました。学校制服はどんどん変化しています。

1984年
タータンチェックスカートのブレザー型を採用
嘉悦学園（東京都）がタータンチェックスカートのブレザー型を採用して話題に

1990年～
デザイナーとのコラボ制服が出現
茶色など中間色の制服、デザイナーとのコラボ制服などが出てきて多様化

2009年
女子のズボンやキュロットの採用
一部の学校で女子のズボンやキュロットの採用（防寒対策など機能面から）

2015年
文部科学省がセクシュアル・マイノリティーの児童への対応実施を発表
文部科学省が「性同一性障害に係る児童生徒に対するきめ細かな対応の実施等について」を発表。

2018年
性別を問わず選べる制服への関心が高まる
千葉県の公立中学校が「性別を問わず選べる制服」を採用し、複数のメデイアに取り上げられる

2020年
一部の地域で、ブレザー・組み合わせ型タイプに変更
福岡市内、北九州市内の全公立中学校がブレザー・組み合わせ型タイプに変更

男女ブレザー　セーラー服　学ラン

ジェンダーレス制服

このページのキーワード

【ジェンダーレス】
生物学的な性差を前提とした社会的、文化的性差をなくそうとする考え方を意味する言葉。

【SDGs
（Sustainable Development Goals）】
2030年までに達成をめざす持続可能な開発のための国際的な目標。17の世界的目標からなる。

画像・資料提供：株式会社明石スクールユニフォームカンパニー、株式会社トンボ、学校法人学習院、学校法人平安女学院、学校法人金城学院

Q LGBTQ＋だと学校生活で困ることはあるの？

A 「当たり前」とされていることに傷つくことがあります。

LGBTQ＋の人にとっては、学校生活の中で、自分を否定されたり、生きづらさを感じたりする場面があります。「おかま」「気持ち悪い」といった侮蔑(ぶべつ)的な言葉を投げかけられ傷ついた、持ち物や仕草が「女みたい」「男みたい」だと真似をされて笑われたなど、直接的なからかいやいじめは想像がつくのではないでしょうか。

自分のセクシュアリティーについての違和感を先生に相談してみたけれど、「そのうち気にならなくなるよ」と言われただけといった例もあります。2013年の調査によると、当事者の約7割が、いじめや暴力を受けたことがあると回答しており、約半数の人がそのことを誰にも相談していませんでした。

学校で育ちにくい多様性の意識

直接的ないじめでなくても、例えば、多様な性的指向について「おかしいもの」として周囲が話していたり、「うちの学校にはいない」と先生が言っていたりして、自分は普通ではないと思い込んでしまう場合もあります。また、「彼氏/彼女いるの？」と聞かれたり、「将来結婚するんだから」と言われたり、異性愛が前提となって会話が進むことも少なくありません。また、学校では裁縫（さいほう）箱などの学習教材も性別で色分けがされていたりして、男女で分けられる場面が多くあります。このように、日常生活の会話や慣習が積み重なることで、「男」と「女」が結婚をして家族になることが「普通」であるという考えでの言動で傷ついている人もいます。

このページのキーワード

【セクシュアリティー】
法律上の性、性自認、性的指向、性表現などを含んだ性のあり方の総称。

【学習指導要領】
全国どこの学校でも一定の水準が保てるよう、文部科学大臣が公示する教育課程（カリキュラム）の基準。およそ10年に1度改訂される。

【異性愛】
男性だったら女性、女性だったら男性というように、異性に対して恋愛感情を寄せること。

学習指導要領で取り扱われている内容は…

「体は、思春期になると次第に大人の体に近づき、体つきが変わったり、初経、精通などが起こったりすること。また、異性への関心が芽生えること」
（小学校　体育）

「身体の機能の成熟とともに、性衝動が生じたり、異性への関心が高まったりすることなどから、異性の尊重、情報への適切な対処や行動の選択が必要となること」
（中学校　保健体育）

異性愛、男・女が前提

学校では、「男・女」で分けられること、異性愛であること、が前提となっている場面が多いです。先生の話、友人との会話でも、一見「あたりまえ」と思ってしまう小さなことが、誰かをいないものと決めつけ、傷つけてしまっているかもしれません。

- 男の子を好きになる
- 「女っぽい」言動・服装・持ち物

- 女の子を好きになる
- 「男っぽい」言動・服装・持ち物

「そうではない自分」を相談しても…

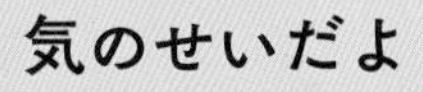

Q トランスジェンダーの人は学校生活をどうしているの?

A きめ細かな対応をするようにと文部科学省から通知が出されています。

LGBTQ＋の子どもたちの学校生活について公的な調査はこれまでほとんどされてきませんでした。社会的な関心が高まる中、文部科学省は2014年に「学校における性同一性障害に係る対応に関する状況調査」を実施し、学校での対応などを促す通知を全国に出しました。その中では、「悩みや不安を受け止める必要性は、性同一性障害に係る児童生徒だけでなく、いわゆる『性的マイノリティ』とされる児童生徒全般に共通するもの」と述べられています。

調査では全国の学校から606件の報告がありました（学校が把握している件数。誰にも言えず黙っている人は含まれない）。学校の対応としては、本人が自認する性別での制服の着用を

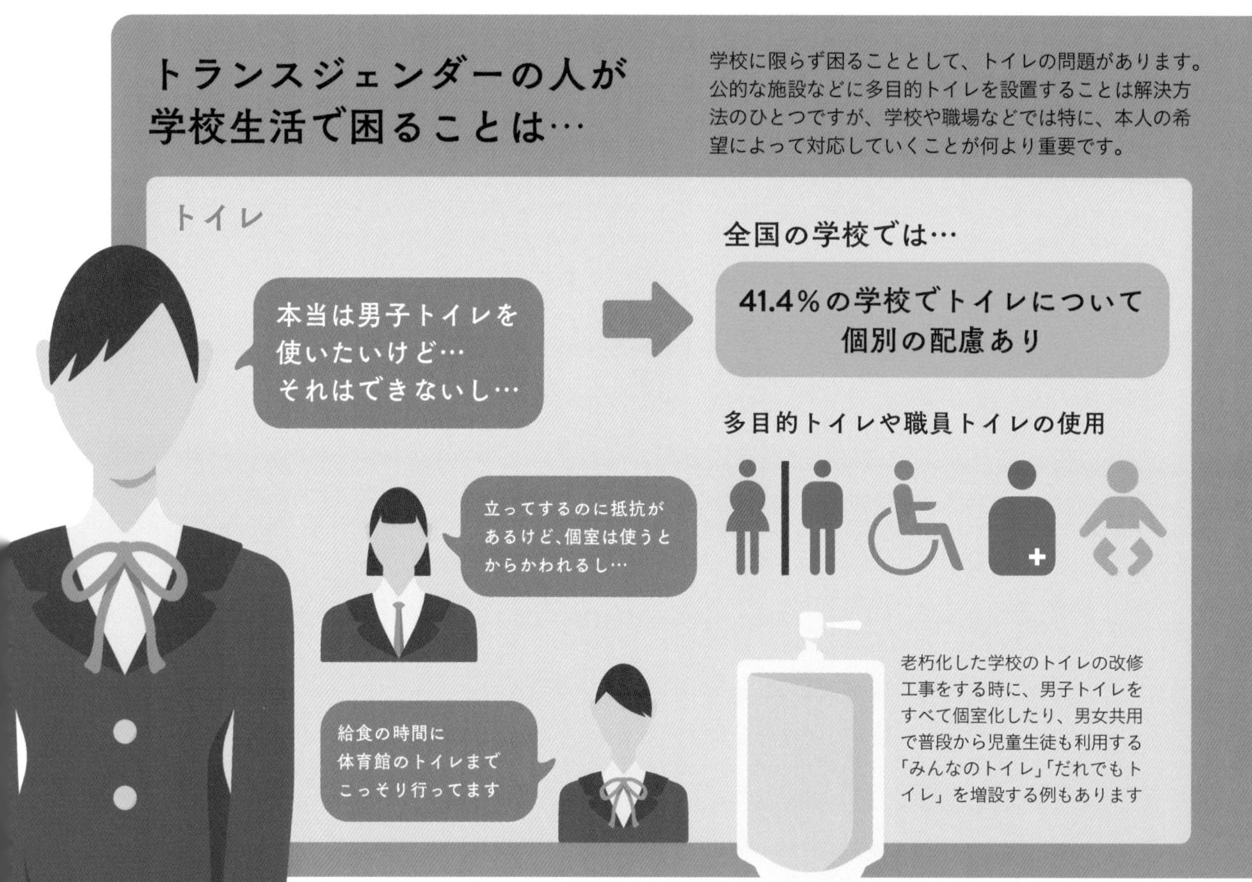

認める（31.3%）、職員トイレや多目的トイレの使用を認める（41.4%）などの事例が多く報告されています。

安心できる学校は周囲の理解次第

「最初は多目的トイレを使用していたが、今は自然と自認する性のトイレを使っている」「修学旅行でクラスメイトが声をかけてくれ、個室が用意されていたが自認する性の大部屋で過ごした」など、自認する性を周囲が受け入れることによって、のびのびと学校生活を送れる場合もあります。ただし、当事者が学校で安心して過ごせるかどうかは、担任教員や学校関係者、地域の保護者などに理解があるかに依存しているのが実情です。そのため、制服がないなど校則が比較的緩（ゆる）い単位制や定時制の高校への進学を希望する当事者も多い現状があります。

このページのキーワード

【性自認（Gender Identity）】
自分の性をどう認識しているかのこと。「こころの性」と呼ばれることもある。

【トランスジェンダー（Transgender）】
生まれた時に割り当てられた自身の身体の性別とは、性自認（自分で思っている性別）が違っている人のこと。

【性同一性障害】
身体的性別と性自認が異なる人の中でも、特に精神医学的に診断基準を満たした人のこと。

項目	学校における支援の事例
服装	自認する性別の制服・衣服や、体操着の着用を認める
髪型	標準より長い髪型を一定の範囲で認める（戸籍上男性）
呼称の工夫	校内文書（通知表を含む）を児童生徒が希望する呼称で記す 自認する性別として名簿上扱う
授業	体育又は保健体育において別メニューを設定する
水泳	上半身が隠れる水着の着用を認める（戸籍上男性） 補修として別日に実施、又はレポート提出で代替する
運動部の活動	自認する性別に係る活動への参加を認める

Q LGBTQ＋について、学校で学ぶことはできる?

A 学習指導要領に記載はありませんが、取り上げる教科書は増えています。

2021年現在、学習指導要領の中に、LGBTという言葉や、多様な性についての項目は入っていません。2016年、学習指導要領が改訂される際、国民から「LGBTなど多様な性を教えるべき」という意見も文科省に数多く寄せられましたが、結果として記載はされませんでした。

しかし、実際に教科書を作成する出版社は、社会の動きに敏感であり、大事な観点だとして、セクシュアル・マイノリティーを取り上げる事例が増えてきています。2021年版の中学校教科書では、性の多様性についての記述が大幅に増加して、9社17点、「特別の教科 道徳」に加え、国語、歴史、公民、家庭、美術、保健体育の6科目でLGBTなど性的少数者に関する内容が取り上げられ、2022年版の高校教科書では、セクシュアル・マイノリティーについて公共・家庭科・保健体育のほぼすべての教科書に記載があったと報道されています。

どんなふうに取り上げられている?

教科書にLGBTQ＋について初めて記載されたのは、2017年度、高校の家庭科でした。その後、義務教育で学ぶべきとの声も多くあり、2019年には中学の道徳の教科書などに盛り込まれました。性のあり方には「からだの性」「こころの性」「好きになる性」の3つの要素があることを紹介したり、体と心の性が一致しない性同一性障害の人の物語を掲載したりするなどが見られます。小学校の体育（保健）では、自分の性のことで不安や心配なことがあった時に相談できる先を紹介し、相談を促す記述も見られました。

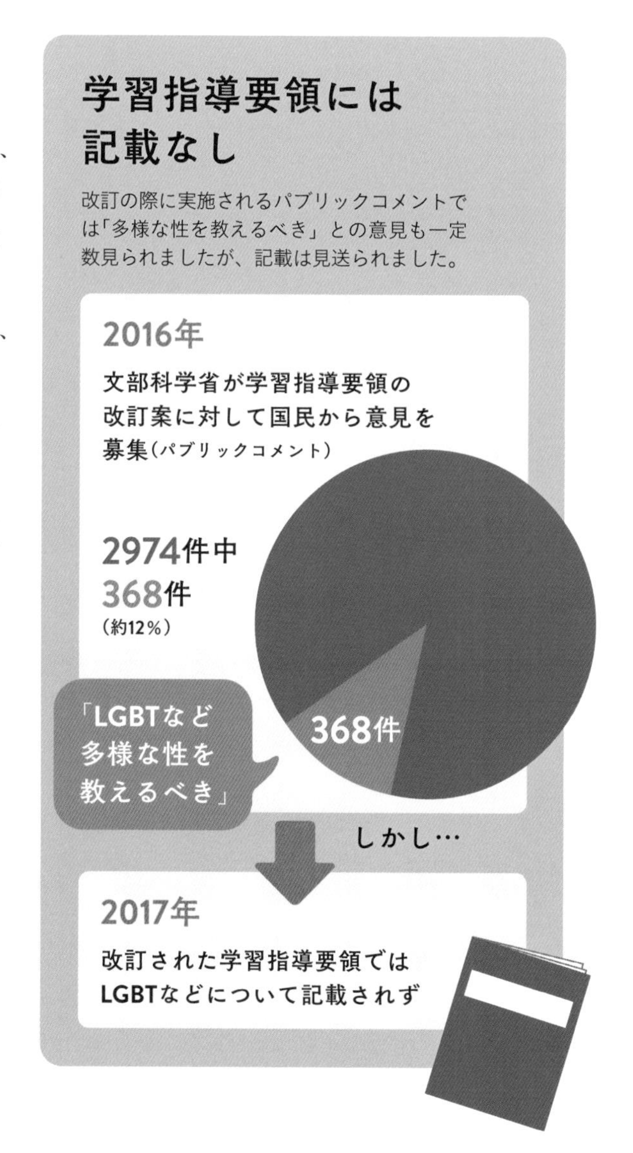

初めてLGBTという表現が教科書に載ったのは?

教科書は、すべての学校が同じものを使っているわけではありません。各社が作成した教科書を、公立学校の場合は教育委員会が採択します。あなたの使っている教科書には、性の多様性について載っていますか?

高校では

2017年版

教科	家庭
例	**実教出版**(家庭基礎) 渋谷区のパートナーシップ制度などを紹介。 **開隆堂出版**(家庭総合) LGBTであると公表した上で結婚式を挙げた2人を写真付きで紹介。

中学では

2019年版

特別の教科	道徳
例	**学校図書**(2年生) 「自分らしい多様な生き方を共に実現させるためにできること」 多様な性の説明、NPO法人ReBitによる勉強会の様子などを紹介。 **日本文教出版**(3年生) 「さまざまな性」さまざまな性についての説明を掲載。 **日本教科書**(2年生) 「だから歌い続ける」読み物教材の中で、 声変わりで好きな歌が歌えなくなった性同一性障害の主人公が登場。

小学校では

2020年版

教科	体育(保健)
例	**光文書院**(3・4年生) 「体の性と心の性がちがう気がする」「異性に関心がもてない」などの違和感や不安を感じる子どもに向け、アドバイスや相談先のホットラインなどを紹介。 **文教社**(5・6年生) 友人への相談の仕方や、相談の受け方を考えるコーナーを盛り込む。

このページのキーワード

【セクシュアル・マイノリティー】
性的少数者のこと。レズビアン・ゲイ・バイセクシャル・トランスジェンダーなどを含む総称として使われることが多い。

【学習指導要領】
全国どこの学校でも一定の水準が保てるよう、文部科学大臣が公示する教育課程(カリキュラム)の基準。およそ10年に1度改訂される。

【パブリックコメント】
国民の意見を行政に反映させるため、法令などの制定・改廃等の際に、ホームページを通じて広く意見が募集されること。

Q トランスジェンダーは、女子校・大に入ることはできないの？

A 一部の大学で受け入れが始まり、ガイドラインの整備などが進んでいます。

日本には4,874の高校があり、うち「男子校」は101校、「女子校」は289校です。また「女子大学」は、全795校の大学のうち、75校あります（2020年現在）。これまで、戸籍（こせき）上の性別と性自認が異なるトランスジェンダーの人にとって、これらの学校は事実上、進学できない学校でした。多くの学校で運用上、「戸籍上の性別」を入学要件としていたためです。LGBTQ＋への理解の広がりとともに、こうした状況に対して改善を求める声が上がるようになってきました。例えば、研究者の団体である日本学術会議が2017年、「性自認が女性のトランスジェンダー（MtF）学生が女子校・女子大学で学べるようにすることを求める」提言をまとめています（「性的マイノリティの権利保障をめざして―婚姻（こんいん）・教育・労働を中心に―」）。

女子校・男子校・女子大学の割合の推移

出典：文部科学省「学校基本調査」
※女子大学は対全大学数、男子校・女子校は対全高校数

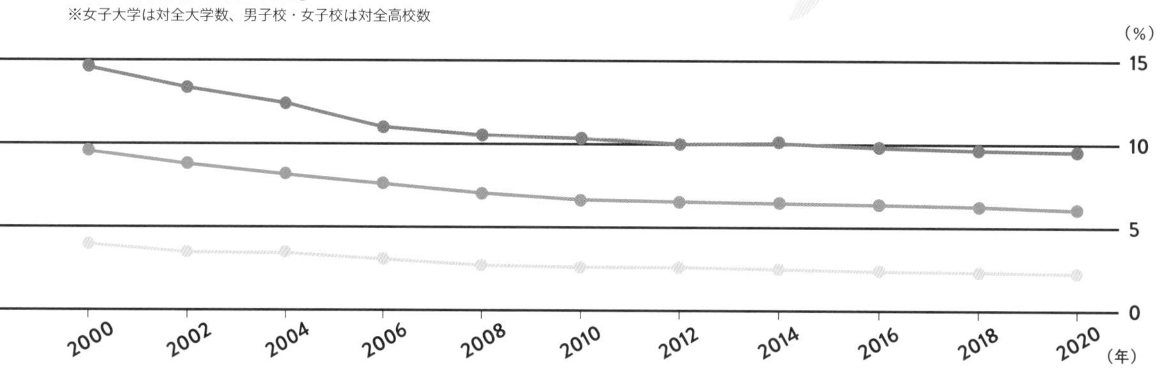

LGBTQ＋に配慮した校内設備も進んでいます

ex.1

誰でも使えるトイレの設置

「多機能トイレ」の名称やサインをLGBTQ＋の人々にも使いやすいように変更し、設置数を増やしたり、性別にかかわらず利用できるオールジェンダートイレを新たに設けたりする事例がある。

ex.2

個室更衣室の設置

着替えを見たり見られたりすることをつらく感じる人も多く、性別を問わず利用できる個室形式の更衣室を新たに設置したり、すでにある更衣室を改修したりする例も。

ex.3

通称名での学生証記載

学生証だけでなく大学が発行する学籍簿や在学証明書などの書類で、戸籍名ではなく通称名を使用する手続きが可能な大学も増加。

このページのキーワード

【性自認（Gender Identity）】
自分の性をどう認識しているかのこと。「こころの性」と呼ばれることもある。

【トランスジェンダー（Transgender）】
生まれた時に割り当てられた自身の身体の性別とは、性自認（自分で思っている性別）が違っている人のこと。

【MtF】
出生時に割り当てられた性別が男性で、自認する性別が女性である人。トランスジェンダー女性。

トランスジェンダー学生の受け入れ開始

こうした流れの中、2018年、お茶の水女子大学は、国内で初めて戸籍上の性別にかかわらず性自認が女性のトランスジェンダー学生の受け入れを決めました。同様の動きは他大学でも見られ、2021年4月時点で、お茶の水女子大学、奈良女子大学、宮城学院女子大学で受け入れが始まっており、24年度から日本女子大学も受け入れを表明しています。

男女共学の大学でも、学生証での通称名使用を認める、学生寮（りょう）に性別を問わないフロアを設ける、誰でも使えるトイレを増設するなど、学生生活をしやすくするための配慮が見られるようになってきました。

一方で、2020年の調査では、「LGBT等の学生支援のための手引き、ガイドライン」を作成している大学は8.7％で、組織的に対応を進めるまでには至っていない様子がうかがえます。

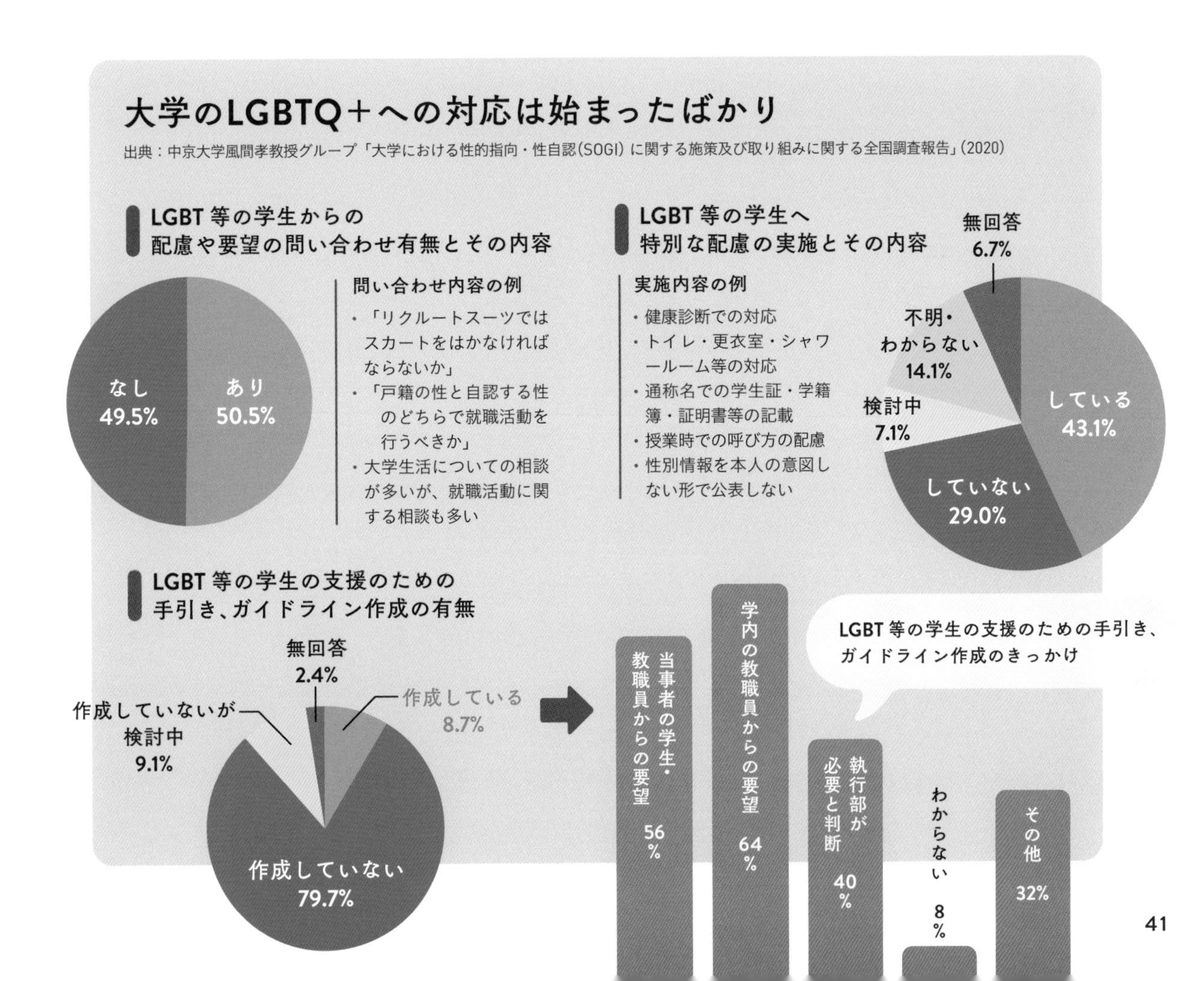

Q LGBTQ＋の人の就職活動は不利なの？

A 履歴書の様式例から「男・女」の選択肢がなくなるなど、少しずつ変化しています。

大学生や専門学校生などが就職を希望する時、日本では新卒一括(いっかつ)採用（その年の大学卒業生を一括して採用すること）が長年行われてきました。リクルートスーツと呼ばれる同じようなスーツ姿で、特に女性は「ナチュラルメイク」「ヒールの高さ」「清楚(せいそ)さ」など、外見上「こうでなければならない」と決めつけられることが多く、それに苦痛を感じてきた人も少なくありません。トランスジェンダーの人たちはこれに加えて、提出書類で「男・女」の性別を選ばなければならないことや、面接でのセクシュアル・マイノリティーではないことを前提とした質問

これからは、履歴書に性別を書かなくて良い時代へ！

before	after
男・女	※性別
電話	電話
「男・女」の2つからしか選択できなかった	性別欄の記載は任意となった

他にも…

志望の動機、特技、好きな学科、アピールポイントなど

通勤時間	
約　時間　分	
扶養家族数（配偶者を除く）	
分	
配偶者	配偶者の扶養義務
※有・無	※有・無

ここに入っていた4つの欄を削除

「男・女」選択だった性別欄が任意記載になったと同時に、「通勤時間」「扶養家族数(配偶者を除く)」「配偶者の有無」「配偶者の扶養義務の有無」欄が削除されました。これらは、「結婚している女性は採用しない」など、就職差別にもつながりかねない、プライバシーの要素が高い情報です。

を受けるなど、87.4%の人が困難を経験したという調査結果があります（NPO法人「ReBit」による2018年調査）。

履歴書から「男・女」がなくなる

2020年夏、セクシュアル・マイノリティーの当事者や支援者たちが、性別欄の削除（さくじょ）を求めるオンライン署名を行い、1万筆以上が集まりました。この動きを受け、2021年4月、厚生労働省は性別欄を空欄とした履歴書（りれき）の様式例を示し、同時に配偶者（はいぐうしゃ）の有無などプライベートな情報を記入する欄も削除したのです。

2019年の厚生労働省調査「職場におけるダイバーシティ推進事業報告書」によると、「採用時の応募書類における性別欄への配慮」を行っていると答えた企業はわずか18.6%で、大半の企業が男女いずれかの性別を選ぶ形になっていました。今回の様式例では性別欄の削除ではなく任意記入の空欄となっているため、「記入しないと不利になるのではないか」という当事者の悩みは消えていないという課題は残りますが、少しずつ変化してきています。

LGBTQ＋であることをオープンにして就職活動はできる？

オープンにするメリット	オープンにするデメリット
• LGBTQ＋関連の活動や、自分自身の体験を正直に話せる。 • LGBTQ＋に関する質問がしやすくなり、就職希望先の考え方や理解度、福利厚生などがわかる。	• 理解のない企業の場合、面接担当者の質問がLGBTQ＋のことに集中してしまう。また、低評価につながる恐れがある。 • 企業によっては、面接を打ち切られた事例もある。

企業では
こんな取り組みも

ex.1
履歴書の性別欄だけでなく、顔写真の添付も廃止する。

ex.2
見た目などの印象に左右されないよう、面接にAIを導入する。

ex.3
社内の手続きなどで、パートナー関係における異性・同性の区別をなくす。

PICK UP!

パス度

トランスジェンダーの人の場合、自らが認識している性自認が、外見上で第三者から認識されるかどうかを表す度合い。

例えば、生まれた時に割り当てられた性が男性で、性自認が女性の人の場合

↳ 本来、働くことに外見は関係ないが、性自認による性別で働く場合、パス度はハードルになりやすい。

パス度が高い

第三者から見て外見上女性（長い髪や中性的な顔立ち、華奢な骨格など）

パス度が低い

第三者から見て外見上男性（体格の良さやはっきりとした顔立ちなど）

このページのキーワード

【セクシュアル・マイノリティー】
性的少数者のこと。レズビアン・ゲイ・バイセクシャル・トランスジェンダーなどを含む総称として使われることが多い。

【トランスジェンダー（Transgender）】
生まれた時に割り当てられた自身の身体の性別とは、性自認（自分で思っている性別）が違っている人のこと。

Q 「あの人ゲイなんだって」って、言っちゃいけないの？

A それは、アウティングかもしれません。

カミングアウトという言葉は聞いたことがあるのではないでしょうか。例えば、「実はゲイなんだ」と友だちや親に言ったりすること、主に自分のセクシュアリティーを他の人に伝えることをカミングアウトといいます。

そして、その聞いたことを、話してくれた本人の承諾（しょうだく）を取らずに、他の誰かに話してしまうことをアウティングといいます。アウティングされた当事者が、秘密にしていたセクシュアリティーが暴露されてしまったことを苦にして自死してしまう事件もおきました。「あの人ゲイなの？」というようなうわさ話が、人の命を奪（うば）ってしまうこともあるのです。

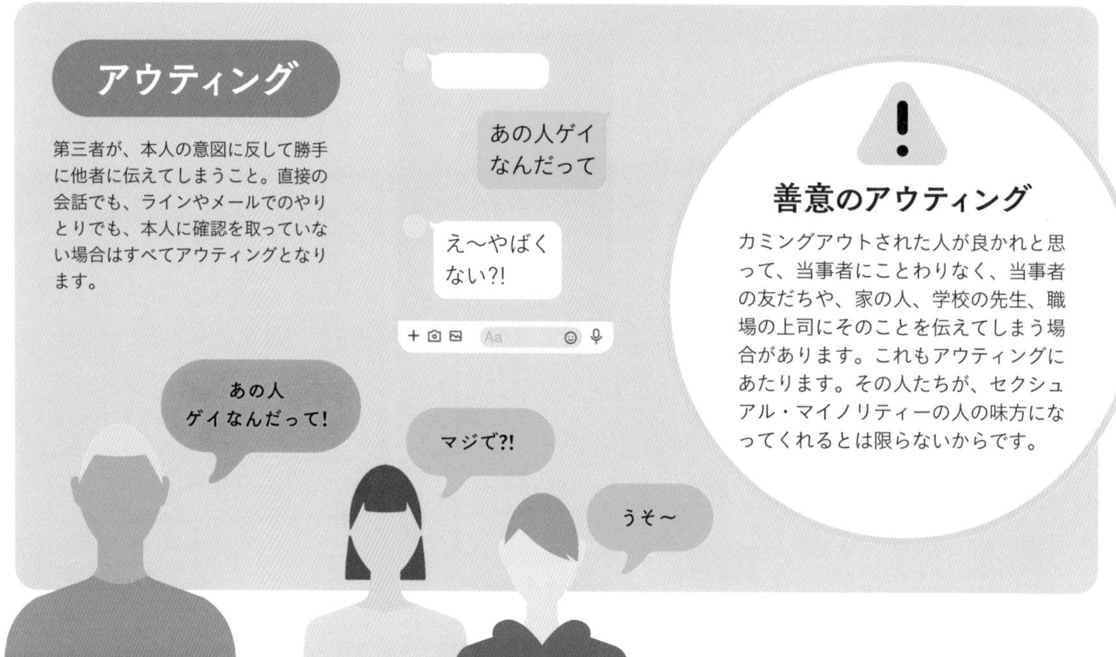

その人のためでも
アウティングになります

当事者が誰かにカミングアウトしていたとしても、周囲みんなにしているとは限りません。例えば、担任の先生に伝えていたとしても、親には伝えていないかもしれません。ここで、先生が当事者に確認しないまま、その親に伝えてしまうと、善意からだったとしてもこれはアウティングになります。

また、カミングアウトしても周囲に必ず理解してもらえるわけではなく、親から拒絶(きょぜつ)されてしまう人も少なくありません。そして、約7割の当事者が、カミングアウトしやすい環境にはなっていない、と感じている現状があります。

このページのキーワード

【セクシュアル・マイノリティー】
性的少数者のこと。レズビアン・ゲイ・バイセクシュアル・トランスジェンダーなどを含む総称として使われることが多い。

【カミングアウト】
これまで伝えていなかった自分自身のセクシュアリティーを周囲に開示すること。

【アウティング】
本人の同意なく第三者にその人の性のあり方を暴露してしまうこと

【パートナーシップ制度】
戸籍上同性であるカップルに対して、2人がパートナーとして生活していることを自治体が証明する制度

LGBTQ+だと気づいた時、自分自身はどう思いましたか。
またカミングアウトした際、親はどのような反応を示しましたか。

- すんなり受け入れた／何も変わらない
- 初めは戸惑ったが、すぐに受け入れた
- 受け入れるのに時間がかかったが、今は受け入れている
- 未だに受け入れられてはいない
- 完全に拒否されている

以前に比べて、周囲の人にLGBTQ+当事者であることを
カミングアウトしやすい環境になっていると感じますか。

いいえ 70.2%

はい 5.6%

どちらかといえば はい 24.2%

いいえ 44.8%

どちらかといえば いいえ 25.4%

2020年の調査で、当事者の約7割が「カミングアウトしやすい環境になっていない」と回答しています。しかし、パートナーシップ制度がある都市に住んでいる当事者は、5割以上が「カミングアウトしやすい環境になっている」と回答しました。制度が環境づくりの一助になっている可能性があります。

パートナーシップ制度がある都市に住んでいる場合

はい 52.3%

出典：電通ダイバーシティー・ラボ「LGBTQ＋調査2020」

PART 2 参考文献・資料

【書籍・論文・報告書】

- 石田仁『はじめて学ぶLGBT　基礎からトレンドまで』ナツメ社、2019年
- いのちリスペクト。ホワイトリボン・キャンペーン「LGBTの学校生活に関する実態調査（2013）　結果報告書」
- 風間孝・北仲千里・釜野さおり・林夏生・藤原直子「大学における性的指向・性自認（SOGI）に関する施策及び取り組みに関する全国調査報告」『社会科学研究』41（2）、P230-181、2021年3月
- 神谷悠一・松岡宗嗣『LGBTとハラスメント』集英社新書、2020年
- 木村涼子『学校文化とジェンダー』勁草書房、1999年
- QWRC&徳永桂子『LGBTなんでも聞いてみよう　中・高生が知りたいホントのところ』子どもの未来社、2016年
- 佐藤秀夫編『日本の教育課題第２巻 服装・頭髪と学校』東京法令出版、1996年
- 中西絵里「LGBTの現状と課題 ―― 性的指向又は性自認に関する差別とその解消への動き ―― 」『立法と調査』394、P3-17、2017年11月
- 難波知子『学校制服の文化史　日本近代史における女子生徒服装の変遷』創元社、2012年
- 馬場まみ「戦後日本における学校制服の普及過程とその役割」『日本家政学会誌』60（8）、P715-722、2009年
- 馬場まみ「ファッションにみるジェンダー　―― 婚礼衣装と学校制服 ―― 」『日本衣服学会誌』54（2）、P91-94、2011年
- 藤川大祐「中学校道徳教科書における少数者の扱いの検討」『授業実践開発研究』12、P1-6、2019年
- 星賢人『自分らしく働く　LGBTの就活・転職の不安が解消する本』翔泳社、2020年
- 三菱UFJリサーチ&コンサルティング『令和元年度厚生労働省委託事業　多様な人材が活躍できる職場環境に関する企業の事例集〜性的マイノリティに関する取組事例〜』、2020年3月
- 森山至貴『LGBTを読みとく ―― クィア・スタディーズ入門』ちくま新書、2017年
- 早稲田大学教育総合研究所（監修）『LGBT問題と教育現場 ―― いま、わたしたちにできること ―― 』学文社、2015年

【Webサイト・記事】

- **朝日新聞デジタル**　https://www.asahi.com
  - 「就活で『らしさ』押し付けないで　性的少数者たちの声」、2021年5月16日
  - 「履歴書、男女の選択肢なくす様式　厚労省『記載は任意』」、2021年4月16日
  - 「パートナーシップ制度ではだめ　同性婚求めるワケとは」、2021年3月16日
  - 「『性的少数者』道徳教科書で初の掲載　8社中4社で」、2018年3月27日
- **一般社団法人MarriageForAllJapan―結婚の自由をすべての人に**　https://www.marriageforall.jp
- **NHK**　https://www.nhk.or.jp
  - 「『家族だけど家族じゃない』制度開始から5年 広がりと不安と」、2020年11月5日
- **学習指導要領改訂に際して「思春期になると異性への関心が芽生える」と記載してLGBTについて記載されなかったことに関する質問主意書（提出者　西村智奈美）**
  https://www.shugiin.go.jp/internet/itdb_shitsumon.nsf/html/shitsumon/a193199.htm
- **株式会社トンボ**　https://www.tombow.gr.jp
- **株式会社明石スクールユニフォームカンパニー**
  https://akashi-suc.jp
- **菅公学生服株式会社**　https://kanko-gakuseifuku.co.jp
- **厚生労働省第163回労働政策審議会職業安定分科会資料「資料4　履歴書の様式例の作成について」**
  https://www.mhlw.go.jp/content/11601000/000769679.pdf
- **埼玉県「LGBTQ（性的マイノリティ）について」**
  https://www.pref.saitama.lg.jp/a0303/lgbt-pamphlet.html
- **時事ドットコム**　https://www.jiji.com
  - 「LGBT、公共や家庭で　パートナーシップ制度も―教科書検定」、2021年3月31日
- **渋谷区「全国パートナーシップ制度共同調査」**
  https://www.city.shibuya.tokyo.jp/kusei/shisaku/lgbt/kyodochosa.html
- **電通報**　https://dentsu-ho.com
  - 「LGBTQ+の『Q+』の存在を知っていますか？〜最新調査レポート」、2021年6月3日
  - 「一番多いのは『知識ある他人事層』〜LGBTQ＋に対するストレート層のクラスター分析」、2021年6月25日
- **東洋経済ONLINE**　https://toyokeizai.net
  「『高齢LGBT』を悩ませる、これだけの不安要素」、2020年11月12日
- **認定NPO法人虹色ダイバーシティ**
  https://nijiirodiversity.jp
- **日本被服株式会社**
  http://www.nipponhifuku.jp
- **HUFFPOST**　https://www.huffingtonpost.jp
  - 「『LGBT』高校の教科書に。どんな内容？『義務教育から学ぶべき』の声も」、2016年3月18日
- **BUSINESS INSIDER**　https://www.businessinsider.jp
  - 「『家族』でなければ情報開示できない？新型コロナで顕在化する同性カップルの不安」、2020年4月21日
  - 「企業から消える『性別』ユニリーバ、KDDI……コクヨも「履歴書の変更を検討」、2020年7月31日
  - 「それでも性別欄を残しますか？履歴書『性別は書かなくてもいい』国が初めて方針示す」、2021年4月21日
- **PRIDE JAPAN**
  https://www.outjapan.co.jp/pride_japan
  - 「来春からの小学校教科書に初めて性の多様性のことが記載されることになりました」、2019年3月28日
  - 「中学の道徳の教科書にLGBTのことも載るようになりました」、2018年3月28日
  - 「来春からの中学教科書で『性の多様性』についての記述が大幅に増えることが明らかに」、2020年3月27日
- **Flag**　https://rainbowflag.jp
  - 「教科書でLGBTなど『性の多様性』についての記述が大幅増」、2020年3月29日
- **文部科学省** https://www.mext.go.jp
  - 「学校における性同一性障害に係る対応に関する状況調査について」2014年6月13日
  - 「性同一性障害に係る児童生徒に対するきめ細かな対応の実施等について」2015年4月30日
  - 「性同一性障害や性的指向・性自認に係る、児童生徒に対するきめ細かな対応等の実施について（教職員向け）」2016年

LGBTQ＋インフルエンサー 2

オードリー・タン

Audrey Tang

1981〜

Audrey Tang / CC BY 2.0

世界初のトランスジェンダー閣僚
米誌のグローバル思想家
100人にも選出

オードリー・タン（唐鳳）は、2016年、台湾で最年少（35歳）かつトランスジェンダーで世界初の閣僚（デジタル担当政務委員）に就任したことで、一躍時の人になりました。大臣に就任する際、性別欄には「無」と書いたことで知られています。

8歳の時から独学でプログラミングを学び始めた彼女は、中学時代、哲学書、古典文学などを読み、大学の講義を聴講し、インターネット上で様々な人に出会い、学びました。「男ならこうするべき」という周囲の期待に応えられない自分に気づいた時、自身がトランスジェンダーかもしれないと自覚したと語っています。24歳の時にトランスジェンダーであるとカミングアウトし、翌年、男女どちらにも使える漢字「鳳」を用いた名前に改名しました。

政務委員就任後は、「透明性」を掲げ、オンラインで市民が政策を議論できるプラットフォームの構築、新型コロナ対応でマスクの在庫がリアルタイムで確認できるアプリの導入などを行いました。

生物学的な分類に縛られることなく、自らの能力を発揮できる社会の実現に向けて、彼女の存在は大きな意義を持っています。

Profile

1981年
台北市で生まれる

1989年
プログラミングを独学で学び始める

1995年
インターネットに出あい、中学を中退

2000年
シリコンバレーでソフトウェア会社を起業

2005年
・プログラミング言語 Perl6 の開発に貢献
・トランスジェンダーであることを公表

2006年
唐宗漢から唐鳳（オードリー・タン）に改名

2016年
トランスジェンダーで世界初の政府閣僚に就任

2019年
コロナ対応で在庫がリアルタイムで確認できるシステムを導入

オードリー・タンによる著書『オードリー・タン デジタルとAIの未来を語る』（プレジデント社）では、コロナ対策、デジタルと民主主義などについて彼女の思想が語られている。

column

LGBTQ＋インフルエンサー 3

フレディ・マーキュリー

Freddie Mercury

1946〜1991

https://weheartit.com/entry/58777168 /CC BY-SA 3.0

一世を風靡したロックバンド クイーンのフロントマン

クイーンのデビュー当初、フレディはネイルを塗り、ロングヘアで毛皮のコート姿など、性の固定観念を揺さぶる独特のコスチュームと派手なステージングで注目を集めました。その出で立ちからバイセクシュアルかゲイだと思われていましたし、本人は特に親しい人にはゲイだと話してもいましたが、公にカミングアウトしたことはありませんでした。

1987年、フレディは検査を受け、当時のゲイ・コミュニティーで特に流行し特効薬も開発されていなかった、エイズ（AIDS＝後天性免疫不全症候群。HIVウイルスに感染し、免疫不全をおこした状態）の発症を自覚します。この時もごく親しい人だけに打ち明け、クイーンのメンバーにも詳細を話さず、その事実を隠し通しました。広く世間に公表したのは1991年、死の前日のことです。当時のエイズへのイメージ、同性愛者への差別やひどい偏見から、周囲の人々が詮索されないよう、直前まで公表を控えていたと言われています。

死後に行われた追悼コンサートの収益を元に、エイズ撲滅のためのチャリティー財団であるマーキュリー・フェニックス・トラストが立ち上げられ、2021年の現在でも活動は続けられています。

Profile

1946年

アフリカ・ザンジバル島で生まれる。
幼少期はインドのイギリス式寄宿学校で過ごす

1964年

一家でイギリスに移住

1970年

ロックバンド『クイーン（Queen）』結成

1975年

「Bohemian Rhapsody／ボヘミアン・ラプソディ」発売、英チャート9週連続1位

1985年

ウェンブリー・スタジアムで「ライヴ・エイド」に出演

1991年

自身のエイズ感染を公表した翌日、ロンドンの自宅で死去

1970年のクイーン結成から1985年のライヴ・エイド出演までを描いたフレディ・マーキュリーの伝記的映画『ボヘミアン・ラプソディ』。

販売元：ウォルト・ディズニー・ジャパン株式会社

LGBTQ＋インフルエンサー 4

ジュディ・ガーランド

Judy Garland

1922〜1969

ゲイ・カルチャーの象徴となった伝説のミュージカル俳優

ジュディ・ガーランドは、ゲイへの差別がまだ根強く、当事者の多くが自らのセクシュアリティーを隠していた1960年代のアメリカで同性愛者に対して理解を示していた数少ない著名人の一人でした。父親がゲイであり、自身もバイセクシュアルだったとされています。当時、ゲイのファンが多いことが気にならないかと質問されて、「全然。私はみんなに歌うから」と答えたジュディ。この発言はゲイの人々にとってとても勇気づけられるものでした。

そんな彼女は、同性愛者にとっての象徴的存在となり、現在にも語り継がれています。例えば、LGBTQ＋の人たちが自らの象徴とするレインボーフラッグは、映画『オズの魔法使』(1939) でジュディが歌う「Over The Rainbow／虹の彼方に」がもとになっているという説があります。また、彼女が演じた少女ドロシーにちなんで、「ドロシーのお友だち」はスラングで「同性愛者」を指すこともあります。

1969年、滞在先のロンドンで亡くなったジュディはニューヨークの教会で弔われましたが、翌日、その教会付近で史上初の同性愛者による暴動「ストーンウォールの反乱」が起こりました。彼女の死は同性愛者コミュニティーに大きな動揺をもたらしたことがうかがわれます。

Profile

1922年
アメリカ・ミネソタ州で３人姉妹の末っ子として生まれる

1929年
２人の姉とともにガム・シスターズの一人としてデビュー

1939年
ミュージカル映画『オズの魔法使』で
主役ドロシーに大抜擢され人気スターに

1954年
『スタア誕生』に主演し、
ゴールデングローブ賞主演女優賞を受賞

1969年
滞在先のロンドンで睡眠薬の過剰摂取で死去。
自殺とする説もある

2020年3月に公開されたジュディ・ガーランドの伝記的映画『ジュディ 虹の彼方に』。

発売中／DVD：¥4,180（税込）／発売・販売元：ギャガ

「何をするにも家単位。
今は家族の形も多様、
社会保障制度を
個人単位で考えてほしい。」

「部屋を借りて2人で暮らしたい、
それだけなのに、
男2人だと門前払いを
されることが多かった。」

PART 3

LGBTQ＋と法律・制度

日本国内でだんだんと認知が広がっているLGBTQ＋ですが、世界の国々では、どのように受け止められ、議論や制度の整備が進んでいるのでしょうか。この章では、セクシュアル・マイノリティーに関わる世界や日本の法律・制度の現状や整備の経緯を紹介し、ジェンダー平等についての国際的な指標に基づいて日本社会の現状を学びます。現在を知ることで、未来の社会を創造していくためのヒントにしてみてください。

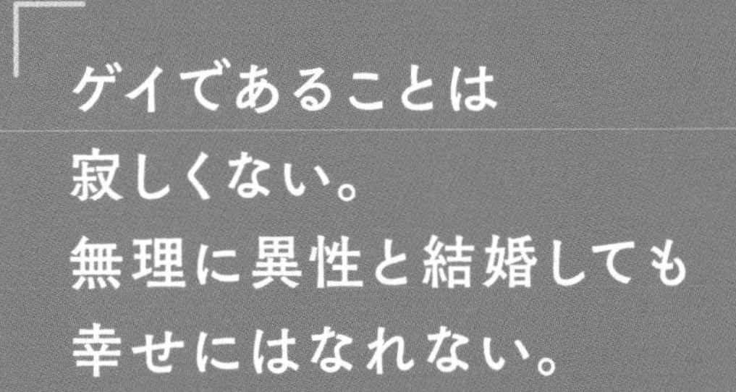

章もくじ

Q LGBTQ＋の人たちを守る法律はあるの?

A 多くの国では差別禁止法で守られています。

主な国々の差別禁止法および同等の法律

性的指向に基づく差別からの法的保護がある国

- 憲法による保護がある国
- 広範な法的保護がある国
- 雇用分野での法的保護がある国

スウェーデン

1987年に政府当局者や企業による同性愛を理由とする差別を禁止する法律を制定。その後、「**性的指向を理由とする**」へ変更した。2009年には、「性差、性同一性障害、民族・人種、宗教・信仰、障害、性的指向・年齢に対する差別を禁止」した包括的な新差別禁止法が制定された。

ドイツ

2006年に「**一般平等待遇法**」を導入。性的アイデンティティーによる差別の撤廃を明示したドイツで初めての包括的な差別禁止法。

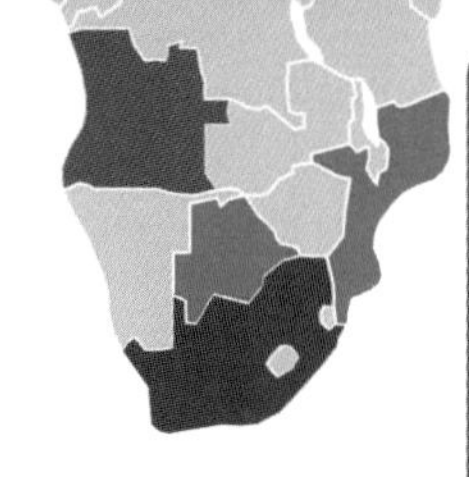

スペイン

国家レベルでの差別禁止法はないが、多くの自治州で**LGBT**コミュニティーの権利を保護する法律が制定されている。

イギリス

2010年に**平等法(Equality Act 2010)**が成立。既存の多くの差別禁止法を統合し、規制内容の明確化が図られた。平等法は、人種、性別、障害、年齢、性的指向、宗教・思想信条、性別の再適正化、婚姻・シビルパートナーシップ、妊娠・母性の9つを保護特性として定義し、それぞれについて、直接差別、間接差別、ハラスメントなどの禁止を規定している。

欧州連合(EU)

2000年に職場における性的指向に基づく差別を禁止した「雇用と職場における平等」指令を制定。性的指向を理由に求職者を不平等に扱うこと、職場で揶揄したり侮辱したりすること、昇進や研修を受けさせないことなどが禁止された。その後制定されたEU基本権憲章では「**性的指向を理由とした差別を受けない**」権利が明記された。

 出典：ILGA World「State–Sponsored Homophobia–Global Legislation Overview Update2020」

法律というルールで差別から守られることは、私たちが社会の中で安心して暮らしていくために欠かせません。差別や偏見に直面して追いつめられ、自らの命を絶つといった悲しいことが起きないよう、私たちの命を守ることにもつながります。

性的指向や性自認を含むあらゆる差別を禁止することは、世界人権宣言をはじめ日本も批准している様々な国際人権条約で規定されています。

性的指向に基づく差別を禁止する法律を持つ国は世界で50カ国以上あって、教育や医療、雇用、公共サービスなどの様々な場面でLGBTQ＋の人たちが差別的な扱いを受けることがないように保障されています。

日本では2021年現在、LGBTQ＋の人々の保護を含む国レベルの差別禁止法が導入されていませんが、東京都は2018年にオリンピック憲章に沿って、LGBTQ＋の人々への差別を禁止する条例を制定しました。

オーストラリア

2013年に**性差別禁止改正法**が施行され、性的指向、性同一性やインターセックス(身体的性が男性・女性の中間もしくはどちらとも一致しない状態)による差別が禁止された。また、「結婚または関係の状態」として同性カップルが法的保護の対象となった。

カナダ

1996年に**カナダ人権憲章**が改正され、性的指向が差別禁止事項のひとつに加えられた。

アメリカ

性的指向と性自認に基づく雇用上の差別禁止を州法で定めている州はあるが、連邦法では明文化されておらず、連邦レベルの差別禁止を求める働きかけが続けられている。米連邦最高裁判所は2020年6月、雇用主が性的指向に基づいてLGBTの従業員を差別することは、人種や性別等による差別を禁じた1964年制定の公民権法に違反するとの判断を初めて下した。21年2月には米議会下院でLGBTQ＋の人々を差別から守るための「**平等法案**」が可決された。

このページのキーワード

【世界人権宣言】
人権および自由を尊重し確保するために「すべての人民とすべての国とが達成すべき共通の基準」を宣言したもの。1948年に国連総会で採択された。

【オリンピック憲章】
国際オリンピック委員会（IOC）が採択したオリンピックに関する根本原則や規則を成文化したもの。性別や性的指向だけでなく、いかなる理由の差別にも反対している。

Q 同性婚ができる国は世界にどれぐらいあるの?

A 世界の約20％の国・地域でできます。

● 同性婚が認められている国

28+1

※台湾
（アジアで初めて同性婚を合法化した地域）

● 婚姻（こんいん）に準じるパートナーシップ制度がある国

16

● 同性間の合意に基づく性行為が犯罪とされる国

69

死刑となる国…… 9
拘禁刑（こうきんけい）となる国…… 58
事実上犯罪となる国…… 2

 出典：ILGA World「State–Sponsored Homophobia–Global Legislation Overview Update2020」

2001年にオランダで同性同士のカップルによる結婚が認められるようになって以降、様々な国で同性間の婚姻が可能になりました。婚姻とほぼ同等の法的権利を認めるパートナーシップ制度を持つ国もあります。

同性婚およびパートナーシップ制度など同性カップルの権利を保障する制度を持つ国・地域は世界中の約20%の国・地域に及び（2020年5月時点）、こうした国々の多くが同性カップルの養子縁組を認めていて、子どもを持ち家族となった時にも法的に承認されます。

一方で、同性間の合意に基づく性行為を犯罪とする国も世界では69カ国あり、LGBTQ+の人たちは、逮捕されたり投獄されたりすることを恐れながら暮らしています。うち9カ国では死刑に処せられる可能性があります。国連はこうした権利侵害に対して、繰り返し懸念を表明し続けています。

日本では同性間の婚姻はできません。G7の中で国レベルでの同性パートナーへの法的保障がないのは日本だけです。

このページのキーワード

【同性婚】
「性別」が同じ2人が結婚すること。現在日本では認められていない。

【パートナーシップ制度】
同性カップルを婚姻に相当する関係と公認する制度。 世界では1989年にデンマークで初めてパートナーシップ法が制定された。

Q 戸籍上の性別は変えられるの?

A 変えられます。世界では、その要件が緩和されつつあります。

パスポートや住民票など、公的な書類に性別が記載される時、そのもととなるのは戸籍(こせき)上の性別、つまり出生届を出した時に記載した性別です。

例えば女性として生まれたものの、現在は男性として暮らしているトランスジェンダー男性は、病院や投票所で何度も性別を確認されることがあるといいます。こうしたことは戸籍の性別を変えることで解決できる問題と考えられています。

世界では、トランスジェンダーの人たちが、自らの性自認を法律上認定してほしいと望む場合、性別変更ができるように法整備が進んでいます。これについて定めた法律をトランスジェンダー関連法といいます。

日本では戸籍上の性別を変えるためには、様々な要件を満たす必要があることが性同一性障害特例法(性同一性障害者の性別の取扱いの特例に関する法律)で定められています。その要件のひとつが「生殖腺(せいしょくせん)の機能を永続的に欠く状態」で、つまり精管や卵管の切除手術などで生殖能力を失わなければ、性別を変えることができません。性別認定を得るために望まない医療処置を受けなければならないということです。海外では、性別適合手術を受けなくとも性別変更ができることを認める法律を定めている国もあります。

主な国での性別変更の手続きに関する法改正を年表でたどってみよう

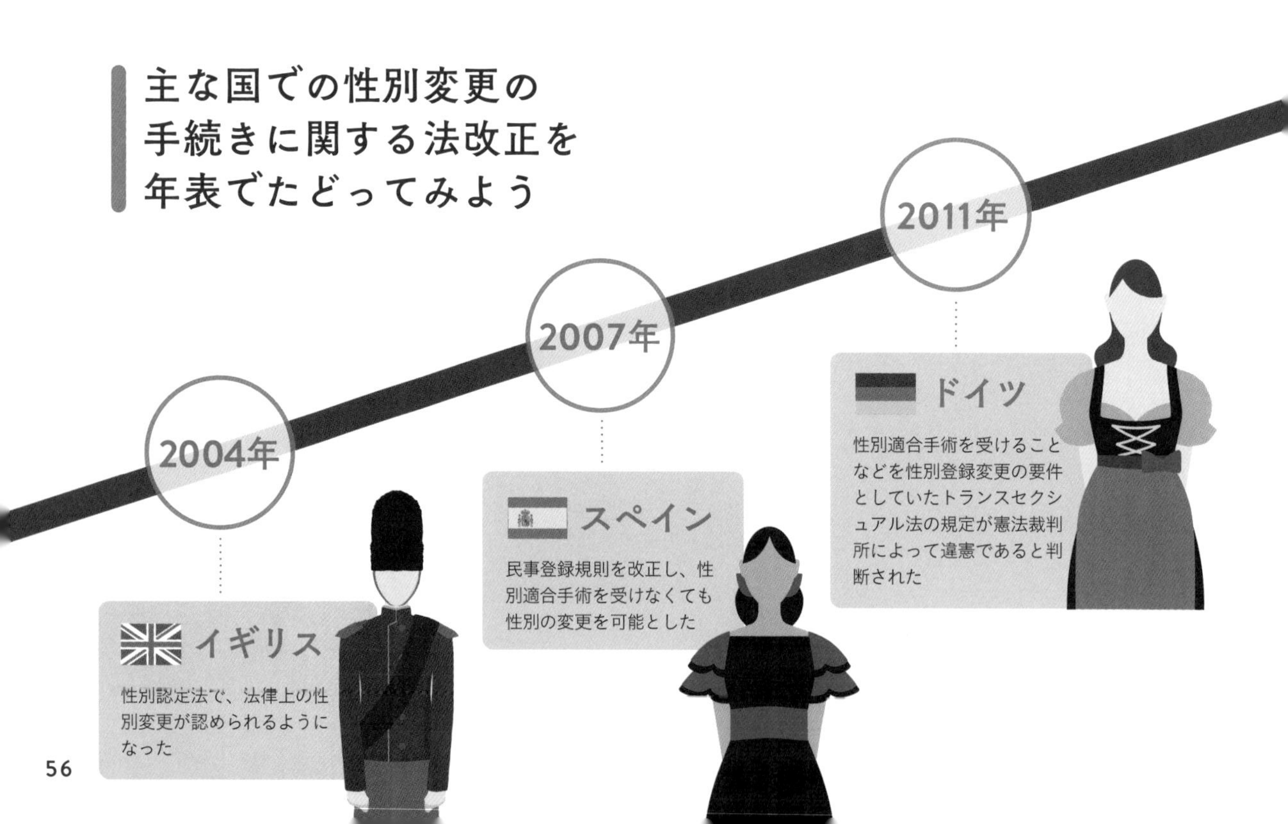

デンマーク

市民登録法改正で、性別変更をする時の不妊手術などの要件がすべて撤廃され、申請すれば自由に性別を変更できるようになった

オランダ

民法改正で性別変更の際、性別適合手術を含む身体的要件をすべて廃止した

アイルランド

性別認定法が制定され、18歳以上の人が自己申告に基づき法律上の性別を変更することが可能になった

メキシコ

メキシコシティの州民法改正で、性別適合手術をしなくても、性別変更が可能となった。2019年12月時点で、他5州が同様の改正を実施

オーストラリア

公的文書に記録される性別として、男性、女性の他に「X」(不確定／インターセックス／不特定)を選べるようにすることを定めた新指針が発表された。医師の診断書を提出すれば、性別適合手術やホルモン療法をすることなく性別記録の変更が可能に

スウェーデン

法改正で性別変更の要件から不妊手術が削除された

2015年

2014年

2013年

2012年

カナダ

2012年から2017年の間にすべての州・準州で性別適合手術を受けなくても法的性別変更が可能に

性別適合手術を受けるために、タイなど海外に渡る人も多い

このページのキーワード

【トランスジェンダー関連法】
トランスジェンダーの人々が、自らの性自認を法律上認定してほしいと望む場合、性別変更するための手続きなどを定めた法律のこと。

【性同一性障害特例法】
一定の条件を満たす性同一性障害者が性別変更を行うための手続きなどを定めた法律。日本で2004年に施行。

Q 日本ではLGBTQ＋の人を守る法整備は進んでいるの?

A 法整備に向けた動きはあるものの、成立にまでは至っていません。

2021年7月現在、日本には、LGBTQ＋の人々の保護を含む国レベルの差別禁止法は存在しませんが、法整備に向けた政治の動きは出ています。LGBTへの差別をなくすため法的課題について検討する超党派（ちょうとうは）の「LGBTに関する課題を考える議員連盟」（LGBT議連）が2015年に発足し、議論を進めてきました。

「理解増進法案」と「LGBT差別解消法案」

LGBTの人々の権利に関する法案には、「理解増進」と「差別解消」という2つの考え方があります。「理解増進法案」は自民党が2016年に設置した「性的指向・性自認に関する特命委員会」によって取りまとめられたものです。差別

LGBTQ＋の人の権利を守る政策・制度の整備は少しずつ進んでいます

性同一性障害に関する施策は2000年代から、LGBTをはじめとするセクシュアル・マイノリティーに関する総合的な施策が検討され始めたのは2010年代に入ってからのことです。

2002年
- 「人権教育・啓発に関する基本計画」に同性愛者への差別といった性的指向に係る問題の解決に資する施策の検討を行うことが盛り込まれる

2004年
- 性同一性障害者の性別の取扱いの特例に関する法律（性同一性障害特例法）施行

2010年
- 文部科学省が性同一性障害への対応徹底を求める事務連絡を発出

2012年
- 「自殺総合対策大綱」で自殺の恐れが高い層として「性的マイノリティ」に言及

2014年
- 文部科学省が学校における性同一性障害に係る対応に関する状況調査を公表

2015年
- LGBTに関する課題を考える国会議員連盟（LGBT議連）発足（超党派）
- 文部科学省が「性的マイノリティ」の児童生徒全般に配慮を求める通知を発出
- 東京都渋谷区と世田谷区が「パートナーシップ制度」開始

禁止ありきではなく、あくまでもLGBTに関する基礎知識を広げることで国民全体の理解を促すことを目的としています。

「LGBT差別解消法案」は、民進党（当時）を中心にした野党が取りまとめ、2016年に衆議院に提出しましたが、解散により廃案になっています。行政や事業者が性的指向や性自認を理由として差別的取り扱いを行うことを禁止するとともに、雇用の際の均等な機会を提供し、ハラスメント防止、いじめ防止に取り組むことなどが盛り込まれていました。

オリンピック憲章が性的指向を含むいかなる差別も受けない権利と自由をうたっていることから、自民党は「2020年東京オリンピック・パラリンピック」前での「理解増進法案」の成立をめざしていましたが、国会への提出は見送られました。

このページのキーワード

【ハラスメント】
性別や年齢、職業、宗教、社会的出自、人種、民族、国籍、身体的特徴、セクシュアリティーなどの属性などによって、相手に不快感や不利益を与え、その尊厳を傷つけること。

【性自認（Gender Identity）】
自分の性をどう認識しているかのこと。「こころの性」と呼ばれることもある。

【性的指向（Sexual Orientation）】
恋愛や性的な関心がどの性別に向くか・向かないかのこと。

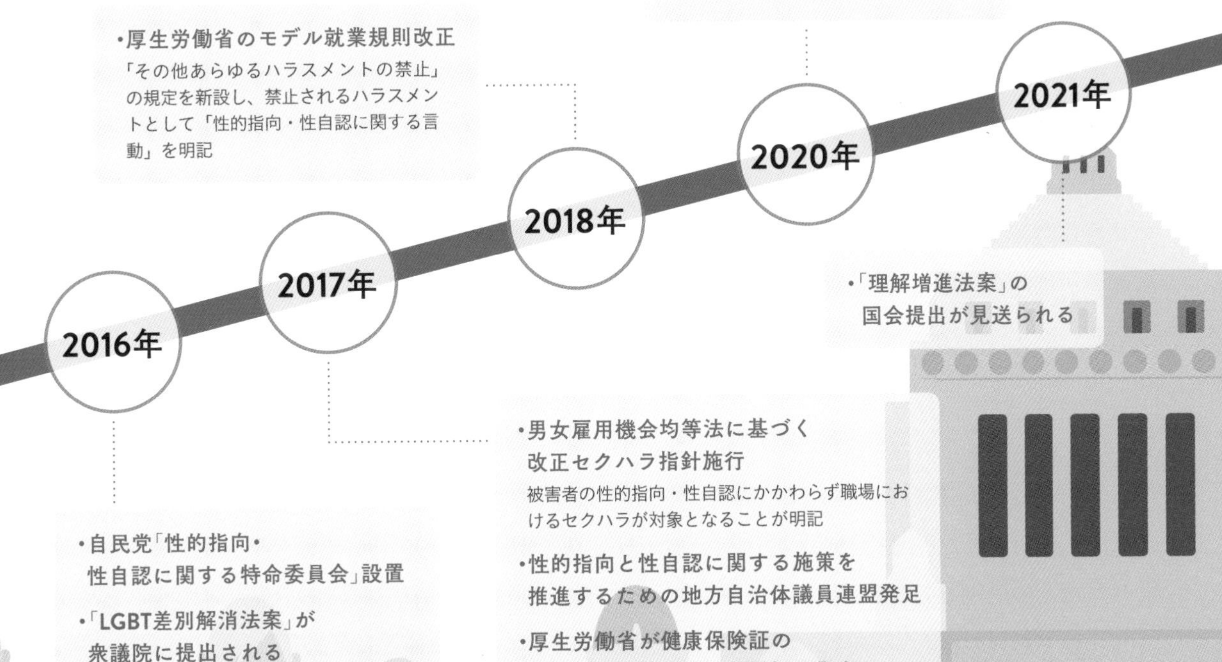

Q 「パートナーシップ制度」って何？

A 同性カップルを結婚に準じる関係と公認し、異性間の結婚と同様のサービスや配慮を受けやすくするための制度です。

同性婚が法律上認められていなくても、戸籍上同性のカップルが婚姻と同等の行政・民間サービスを受けられるよう、国や地方自治体がその関係性を証明する「パートナーシップ制度」が世界の多くの国・地域で導入されています。

日本でも2015年に、渋谷区と世田谷区でパートナーシップ制度が初めて導入されました。その後、各地で同様の制度の導入が進んでいます。2021年7月16日現在で、パートナーシップ制度を導入した自治体は全国で111になり、人口カバー率は38.2%です。制度を利用したカップルは、3月末日時点で1,700組を超えています。

パートナーシップ制度の違い

パートナーシップ制度の内容や対象とする人は自治体によって様々です。

渋谷区は「条例」によって定められ、国の法令に反しない範囲で一定程度の強制力を持たせることができるのに対して、その他の自治体では行政上の内規である「要綱」によって定められ、強制力はありません。

対象となる人は、「戸籍上の性別が同一である二者」（渋谷区）という限定的なものから、「一方または双方が性的マイノリティ」（大阪市）、「互いを人生のパートナー又は家族として尊重し、協力し合う継続的な２人」（兵庫県明石市）など幅広く適用できるものまであります。

導入された多くの自治体ではパートナーシップ宣誓書などを提出することで、「証明書」が発行され、公営住宅への入居など結婚しているカップルにのみ認められていた行政サービスを受けられるようになります。

諸外国のパートナーシップ制度は、税の控除、保険金の受け取りなど様々な分野で権利が保障されていることが多いです。一方で、日本のパートナーシップ制度は権利侵害に対する罰則などがなく、強制力を持たないため、効果を疑問視する声もあります。

このページのキーワード

【パートナーシップ制度】
同性カップルを婚姻に相当する関係と公認する制度。 世界では1989年にデンマークで初めてパートナーシップ法が制定された。

「パートナーシップ制度」導入の現状は…

パートナーシップ制度を導入する自治体は2019年以降急速に増加しました。今後、導入予定や導入を検討中の自治体も50以上あります。

●パートナーシップ制度を導入した自治体数と交付件数は年々増えている

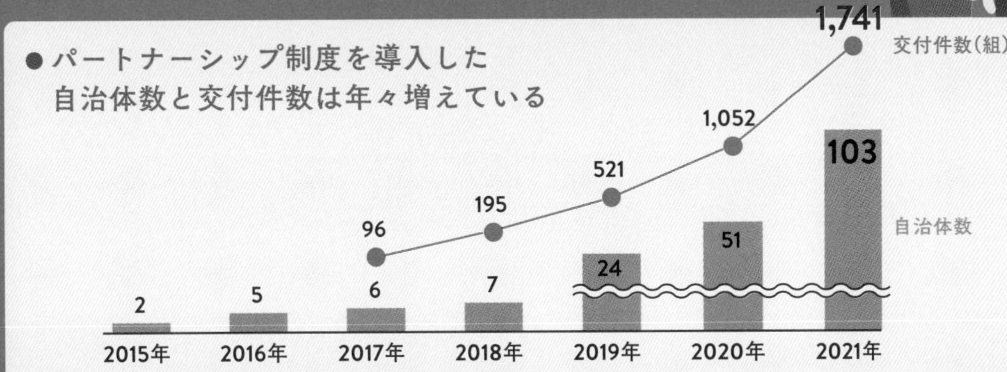

出典：渋谷区・虹色ダイバーシティ「全国パートナーシップ共同調査」

●パートナーシップ制度は2021年7月現在で全国31都道府県の111自治体で導入されている

※大阪府、茨城県、群馬県は都道府県として制度を導入しています。

岡山県
総社市、岡山市

徳島県
徳島市、吉野川市、北島町

香川県
三豊市、高松市、東かがわ市、小豆島町、土庄町、多度津町

高知県
高知市

広島県
広島市

奈良県
奈良市、大和郡山市、生駒市、天理市

京都府
京都市、亀岡市、長岡京市

大阪府
大阪市、堺市、枚方市、交野市、大東市、富田林市、貝塚市、

兵庫県
宝塚市、三田市、尼崎市、伊丹市、芦屋市、川西市、明石市、西宮市、猪名川町

長野県
松本市

静岡県
浜松市、富士市

愛知県
西尾市、豊明市、豊橋市、豊田市

三重県
伊賀市、いなべ市

新潟県
新潟市

石川県
金沢市

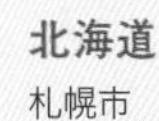

北海道
札幌市

青森県
弘前市

茨城県

栃木県
鹿沼市、栃木市

千葉県
千葉市、松戸市、浦安市

埼玉県
さいたま市、川越市、坂戸市、北本市、鴻巣市、桶川市、伊奈町、上尾市、越谷市、本庄市、行田市、三芳町、東松山市

宮崎県
宮崎市、木城町、日南市、延岡市

長崎県
長崎市

沖縄県
那覇市

鹿児島県
指宿市

福岡県
福岡市、北九州市、古賀市

大分県
臼杵市

熊本県
熊本市

群馬県
大泉町、渋川市、安中市

神奈川県
横須賀市、小田原市、横浜市、鎌倉市、相模原市、逗子市、川崎市、葉山町、三浦市、茅ヶ崎市、藤沢市、大和市、南足柄市、大井町

東京都
渋谷区、世田谷区、中野区、豊島区、江戸川区、府中市、港区、文京区、小金井市、国分寺市、足立区、国立市

出典：自治体にパートナーシップ制度を求める会「日本地方自治体パートナーシップ制度導入状況」

Q 同性で結婚できなくても、一緒に暮らせればそれでいいの?

A 結婚という形で「家族」にならないと、生活上で困ることが数多くあります。

日本では2015年に、渋谷区と世田谷区でパートナーシップ制度が導入されました。これは、戸籍(こせき)上同性であるカップルに対して、2人がパートナーとして生活していることを自治体が証明する制度です。この制度は短期間で大きく広がり、制度を利用したカップルは1,700組を超えています(2021年3月時点)。

パートナーシップ制度が利用されない?

厚生労働省の「職場におけるダイバーシティ推進事業」調査によると、職場でカミングアウトしているセクシュアル・マイノリティー当事者の割合は少なく、8割から9割の人は職場の人に伝えていません。また、法律上の家族でない場合、慶弔休暇(けいちょうきゅうか)(家族・親族の結婚や死亡時の特別休暇)や家族手当等が適用されることも少なく、配慮や対応を意識した取り組みを実施している企業も1割ほどしかありません。

そのような状況の中で、パートナーシップ制度を利用してセクシュアル・マイノリティーであることを公にしても、かえって差別や偏見(へんけん)を受けるのではないかとためらう当事者もいます。そのため、パートナーシップ制度を導入しても、利用者のいない自治体もあります。利用者がいないからといって、制度が必要ないわけではなく、制度を利用しやすい環境づくりも課題となっています。

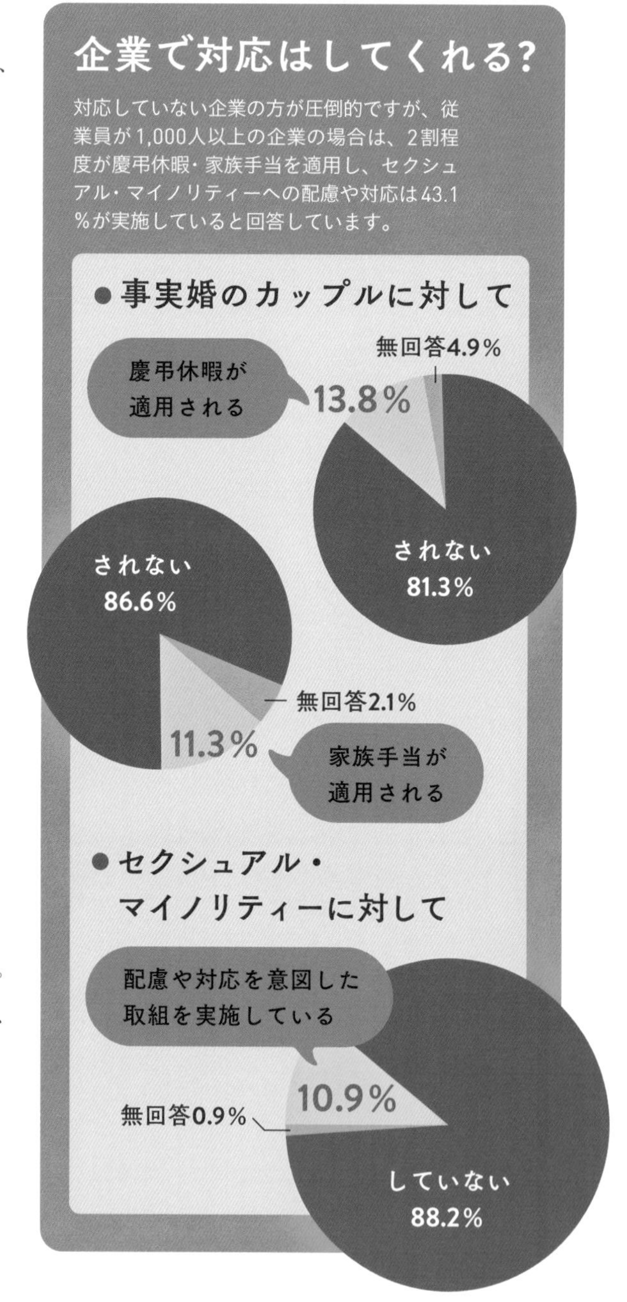

出典:三菱UFJリサーチ&コンサルティング「令和元年度　厚生労働省委託事業　職場におけるダイバーシティ推進事業報告書」

「結婚(婚姻)」でないと困る事例

パートナーシップ制度は自治体の制度であるため、法的拘束力はなく、法律上の「家族」にはなれません。ですが、証明書を発行することによって、公的な手続き等で結婚している2人と同じ形が認められるようにしている自治体もあります。

病院

各病院独自の基準や取り決めがあるので…
→病状の詳しい説明や入院時の申し込みや
付き添いなどについて、
家族・親族以外では認められない

住居

物件を借りる場合は…
→パートナーとして自治体に
認められていても、
貸し手の偏見等から拒否される
→同性の友人のルームシェアが
認められている物件しか選べない

お金

「夫婦」「家族」であることが
前提となっている場合が多いので…
→所得税の配偶者控除などは受けられない
→パートナーを生命保険の受取人に指定できない

ほかにも…

パートナーが外国人の場合、
結婚していれば日本の在留資格が与えられるが、
パートナーシップ制度のみでは
在留資格は与えられない、などの問題も

お墓

パートナーと死別した場合には…
→遺言書等がないと、
パートナーの財産を相続できない
→家族・親族でないと、
墓地の申し込みができない

PICK UP!

制度があっても使えない?

「自分はカミングアウトしているが、
パートナーはカミングアウトできる状況にない」
「パートナーですと証明することで、
かえって家を貸してもらえなかったりするのではないか」
→同性のパートナーであることを明らかに
することによって、差別や偏見にさらされる恐れがあり、
利用したいけれど利用できない場合もある

このページのキーワード

【セクシュアル・マイノリティー】
性的少数者のこと。レズビアン・ゲイ・バイセクシャル・トランスジェンダーなどを含む総称として使われることが多い。

【カミングアウト】
これまで伝えていなかった自分自身のセクシュアリティーを周囲に開示すること。

Q 日本の男女格差は、具体的にどんな部分にあらわれているの？

A 政治と経済の分野で、特に女性の進出が大きく遅れています。

各国における男女格差を測るジェンダーギャップ指数で、日本は、「経済」と「政治」の分野で男女格差が大きいことが示されています。同報告によると、日本の国会議員（衆議院議員）の女性割合は464人中46人の9.9%、女性閣僚（かくりょう）の割合も20人中2人の10%でいずれもG7中の最下位になっています。さらに、女性の総理大臣は過去一人も出ていません。一方で、世界ではこれまでに63カ国で女性の総理大臣・大統領が出ており、2021年1月時点ではデンマーク、

政治分野

日本の女性国会議員の割合は世界平均を大幅に下回っている

世界平均の25.6%と比べても、日本の女性国会議員の割合は格段に低い。　出典：UN Women, Women in Politics 2021

国	女性国会議員の割合
フランス	39.5%
イタリア	35.7%
イギリス	33.9%
ドイツ	31.5%
カナダ	29.6%
アメリカ	27.3%
日本	9.9%

PICK UP!

クオータ制

国会や地方議会などの議員選挙で、候補者や議席の一定割合を男女に割り当てる制度。世界120以上の国・地域で導入されている。

クオータ制の方法

- 議席クオータ制（25カ国）
  憲法または法律により議席の一定数を女性に割り当てる方法
- 候補者クオータ制（57カ国）
  憲法または法律により、候補者の一定割合を女性または男女それぞれに割り当てる方法
- 政党による自発的クオータ制（55カ国）
  政党の規則などにより、候補者の一定割合を女性または男女それぞれに割り当てる方法

※候補者の男女割合が1：1から離れるほど政党助成金を減額するなどの罰則がある国も

ドイツ、ニュージーランドなど13カ国のトップが女性になっています。

経済分野でも、日本は女性の登用が遅れています。管理職の女性割合は14.7%で、2011年の11.1%から改善しているものの、依然として主要先進国で最下位です。働き方についても、男女の格差が表れており、パートタイムの職に就いている女性の割合は男性の約2倍に上っています。フルタイム労働者で比べると女性の賃金は男性より、22.5%低くなっています。

このように、資質や能力があっても女性であることから昇進(しょうしん)や指導的地位に就任できない状況を指して「ガラスの天井」といいます。日本政府は、こうした状況の改善のための取り組みを進めていますが、当初の予定より遅れています。女性管理職の比率を2020年までに3割以上にするとの目標を掲(かか)げていましたが、期限を先送りしました。女性議員を増やすためのクオータ制導入の議論も進んでいません。

このページのキーワード

【ジェンダーギャップ】
男女の違いにより生じている格差のこと。近年では、ジェンダーは男女の二元で捉えられるものではないという視点から、セクシュアル・マイノリティーなども含めて語られることも多い。

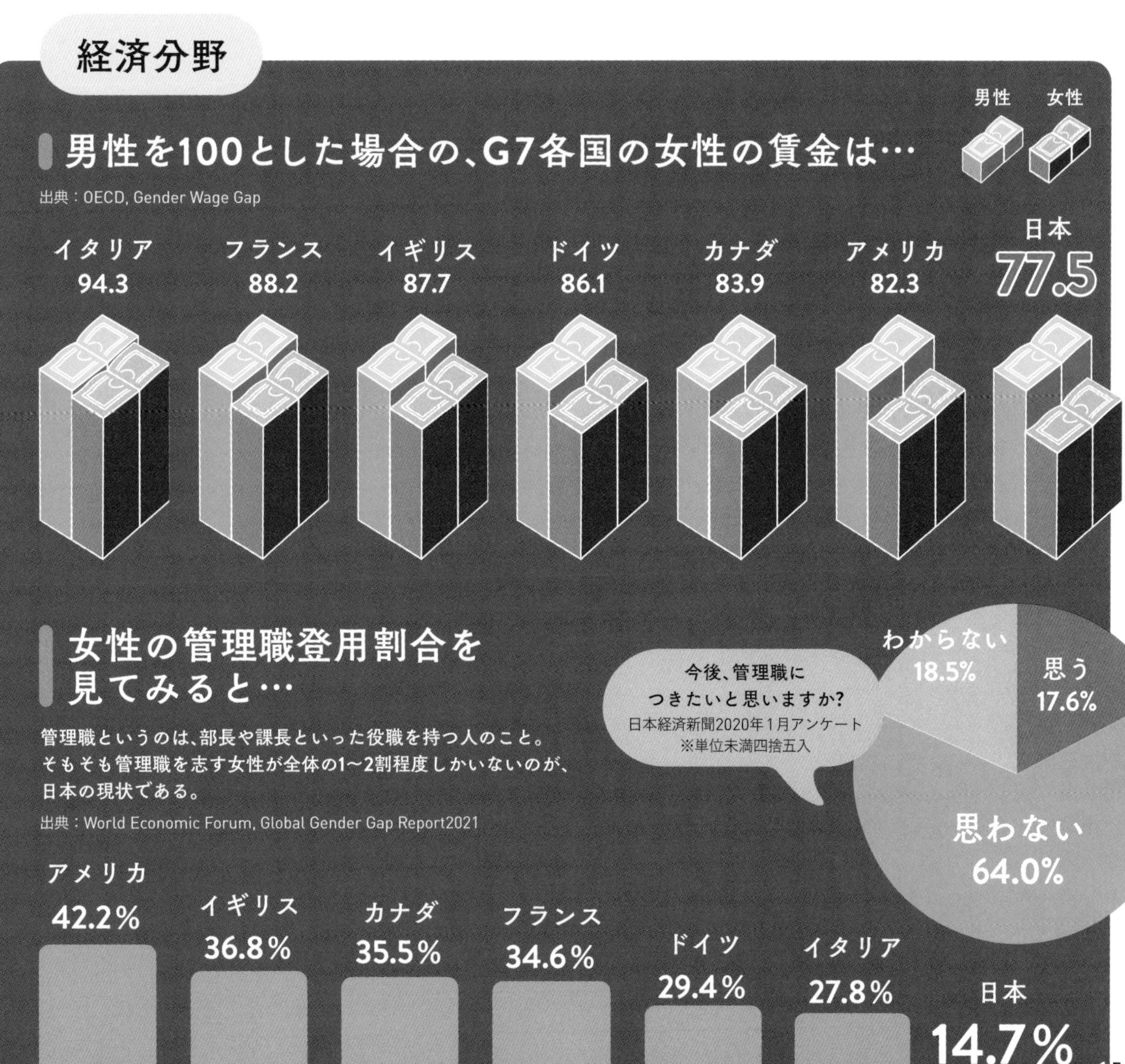

Q「性別」による不平等にはどんなものがある?

A 男女間の格差を示す国際的な指標が毎年発表されています。

男女格差を測る国際的な指標として、世界経済フォーラムが発表する「ジェンダーギャップ指数（Gender Gap Index：GGI）」があります。「経済」「政治」「教育」「健康」の4つの分野の様々なデータから算出され、0（不平等）から1（完全平等）の数値で表されます。2021年3月、最新のデータが公表されました。

上位を占めるのは北欧諸国で、トップテンのうち4カ国が北欧の国となっています。次いでG7をはじめとした主要先進国が並んでいます。

日本の総合スコアは0.656で、156カ国中120位でした。G7の中で最下位、アジア諸国の中でも韓国や中国、ASEAN諸国より低い結果になっています。特に「経済」と「政治」のスコアが低く、全体の順位を押し下げています。政治分野では、ジェンダー平等に向けた努力が世界中で加速する中、日本が遅れを取っていることが明らかになりました。

セクシュアル・マイノリティーであることによる不平等を示す、ジェンダーギャップ指数のような国際的な指標はありませんが、各種調査で格差の存在が指摘されています。

日本のスコアは…

項目	スコア	順位
経済	0.604	117位
教育	0.983	92位
健康	0.973	65位
政治	0.061	147位

国際的な指標は…

ジェンダーギャップ指数は毎年公表されており、北欧諸国がトップを占める状態が続いています。

● 上位国と主な国のランキング（2021年）

北欧やヨーロッパがジェンダーギャップ指数ランキングの上位を占めている

順位	国名	順位変動
1位	アイスランド	
2位	フィンランド	↑1
3位	ノルウェー	↓1
4位	ニュージーランド	↑2
5位	スウェーデン	↓1
6位	ナミビア	↑6
7位	ルワンダ	↑2
8位	リトアニア	↑25
9位	アイルランド	↓2
10位	スイス	↑8
11位	ドイツ	↓1
16位	フランス	↓1
23位	イギリス	↓2
24位	カナダ	↓5
30位	アメリカ	↑23
63位	イタリア	↑13
79位	タイ	↓4
87位	ベトナム	
101位	インドネシア	↓16
102位	韓国	↑6
107位	中国	↓1
120位	日本	↑1
121位	シエラレオネ	↓10
122位	グアテマラ	↓9
123位	ベナン	↓4

 出典：World Economic Forum「Global Gender Gap Report2021」

このページのキーワード

【ジェンダーギャップ】
男女の違いにより生じている格差のこと。近年では、ジェンダーは男女の二元で捉えられるものではないという視点から、セクシュアル・マイノリティーなども含めて語られることも多い。

【シスジェンダー】
生まれた時の性別と性自認（自分が認識する性別）が一致している人のこと。

【トランスジェンダー（Transgender）】
生まれた時に割り当てられた自身の身体の性別とは、性自認（自分で思っている性別）が違っている人のこと。

G7でスコアが横ばいなのは日本だけ

主要先進国がだんだんとスコアを上げている中、日本のスコアはほとんど上がってません。スコア上昇のためには、女性国会議員や閣僚、女性管理職の増加などが不可欠です。

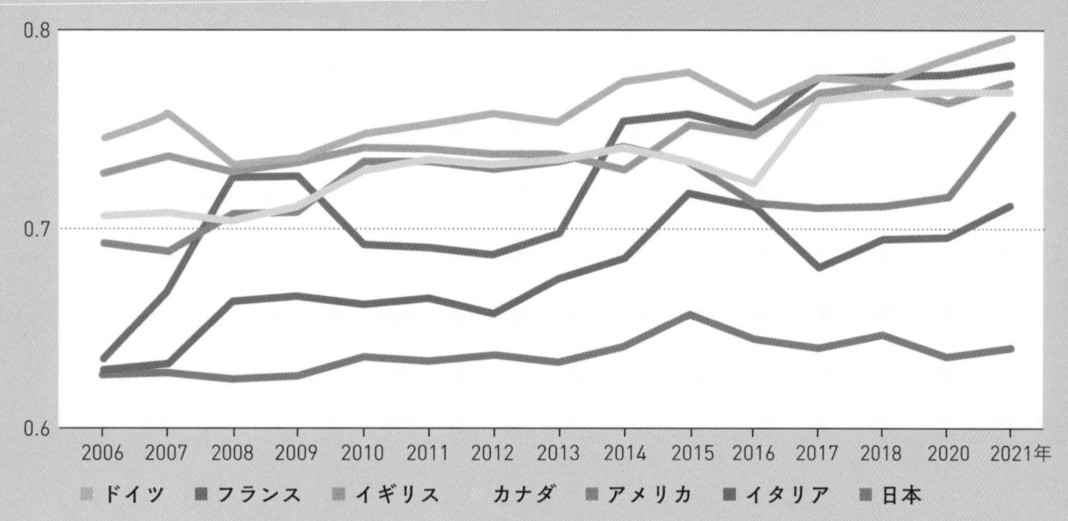

セクシュアル・マイノリティーの収入格差を報告する研究も……

性的指向による収入格差を示す研究はアメリカなどで盛んに行われています。近年では、性自認による格差の研究も進んでいます。

● シスジェンダーの人と比べて、トランスジェンダーの人の収入は低い

年収1万5,000ドル未満の人の割合が…

シスジェンダー 10.4% ＜ トランスジェンダー 16.1%

性自認は男性

● トランスジェンダーの人が性別移行すると、女性に変更した時だけ賃金が下がる

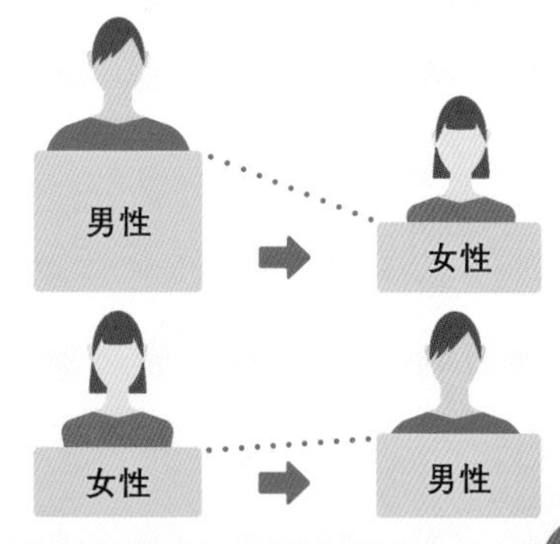

出典：労働政策研究・研修機構「性的マイノリティの自殺・うつによる社会的損失の試算と非当事者との収入格差に関するサーベイ」（2019年）

PART 3 参考文献・資料

【書籍・論文・報告書】

- 石田仁『はじめて学ぶLGBT　基礎からトレンドまで』ナツメ社、2019年
- 岩本健良、平森大規、内藤忍、中野諭「性的マイノリティの自殺・うつによる社会的損失の試算と非当事者との収入格差に関するサーベイ」『JILPT Discussion Paper19-05』、2019年3月
- 国連人権高等弁務官事務所（山下梓訳）『みんなのためのLGBTI人権宣言　人は生まれながらにして自由で平等』合同出版、2016年
- 内閣府男女共同参画局『諸外国における政治分野の男女共同参画のための取組』、2020年3月
- 内閣府男女共同参画局「世界経済フォーラムが『ジェンダー・ギャップ指数2021』を公表」『共同参画』144、2021年5月
- 労働政策研究・研修機構『データブック国際労働比較2019』、2019年11月
- 森山至貴『LGBTを読みとく ── クィア・スタディーズ入門』ちくま新書、2017年
- World Economic Forum「Global Gender Gap Report2021」、2021年3月
- The International Lesbian, Gay, Bisexual, Trans and Intersex Association「State-Sponsored Homophobia-Global Legislation Overview Update 2020」、2020年12月

【Webサイト・記事】

- **一般社団法人MarriageForAllJapan―結婚の自由をすべての人に**　https://www.marriageforall.jp
- **国際連合広報センター**
  https://www.unic.or.jp
- **NIJI BRIDGE**
  https://nijibridge.jp
- **認定NPO法人虹色ダイバーシティ**
  https://nijiirodiversity.jp
- **UN WOMEN　「Women in politics: 2021」**
  https://www.unwomen.org/en/digital-library/publications/2021/03/women-in-politics-map-2021

LGBTQ＋インフルエンサー 5

ハーヴェイ・ミルク

Harvey Milk
1930〜1978

Daniel Nicoletta / CC BY-SA 3.0

サンフランシスコ市政執行委員
アメリカ初の
ゲイを公表した公職者

「ゲイが市を乗っ取ると人々は心配しています」。ハーヴェイ・ミルクがサンフランシスコ市政執行委員選挙に4度目の立候補で初当選を果たした時、テレビのインタビュアーはそんな質問を投げかけました。差別と偏見が正しいかのような時代背景の中で、ミルクはゲイを公表して大都市の公職者に選ばれた初めての議員です。これは、今まで意見を言えなかったレズビアンやゲイが政治的な代表者を得たことを意味します。それは身を隠すように生きている人たちの希望になることだとミルクは述べています。

ミルクの在任中、ゲイ、レズビアンの教職員を公立学校から排除するという「提案6号」と呼ばれる住民投票が発表されました。これに賛成する人は反対する人の倍もいると報道される中、ミルクは「6号にノー」というキャンペーンを開始。セクシュアル・マイノリティーの市民たちに、カミングアウト（公表）して、この提案が通ったらどんな打撃を被るかを周囲の人に知ってもらうよう訴えかけました。この運動には数万人のボランティアが集まり、提案を否決に追い込みます。市庁舎内でミルクが暗殺されたのはその3週間後、公職に就いてまだ1年もたっていませんでした。

Profile

1930年
ニューヨーク州で生まれる

1972年
カリフォルニア州サンフランシスコに移住、
ゲイ・コミュニティーの中でカメラ店を営みながら
政治的に頭角を現し、
「カストロ通りの市長」として知られていく

1977年
サンフランシスコの市政執行委員に当選

1978年
市政執行委員であったダン・ホワイトによって暗殺される

1979年
裁判でダン・ホワイトに宣告された刑が軽かったことから、
判決に抗議する市民が市庁舎に集まり騒動となった。
「ホワイト・ナイトの暴動」と呼ばれている

ハーヴェイ・ミルクの半生は、1984年公開のドキュメンタリー『ハーヴェイ・ミルク』と2009年公開の『ミルク』で知ることができる。

「「男らしく」「女らしく」
ではなく、「私らしく」
いられる社会に。」

「「男」とか「女」とか考えずに
着られる服やアクセサリーが
もっと増えてほしい。」

「学生時代、図書館の
本に救われた。
悩んでいるのは
自分だけじゃないって。」

PART 4

LGBTQ＋と文化・表現

人のセクシュアリティーを表すとされる 4つの要素には、「性表現」も含まれています。LGBTQ＋にまつわる文化や表現は当事者によるものだけではありません。広い意味でセクシュアリティーに関する文化・表現はすべての人に深く関わることです。この章では、それらの表現や文化の例を取り上げるとともに、そうした社会の流れから新たに生まれた「ジェンダーニュートラル」という考え方を紹介します。

章もくじ

Q LGBTQ＋のことで、話題になった動画はある？

A ニュージーランド議会で行われた同性婚に賛成するスピーチの動画は、1,200万回以上再生されています。

2021年、日本の通常国会では、与野党が合意したセクシュアル・マイノリティーをめぐる「理解増進」のための法案が、一部の議員による反対で、国会に提出されないという事態になりました。このようなことがおこる度、インターネット上で話題に上るのが、2013年にニュージーランド議会で行われた、ビッグ・ゲイ・レインボー・スピーチと呼ばれる演説の動画です。当時ニュージーランド議会の議員だったモーリス・ウィリアムソンさんは、同性婚を認める法案が採択（さいたく）された時に、賛成の立場で演説を行いました。「愛し合う2人が結婚できるようにするだけです、これに反対する人たちの生活が何ら変わるわけではありません」。

このスピーチがなぜ「ビッグ・ゲイ・レインボー」と呼ばれているかというと、当日の朝、ウィリアムソンさんの家の窓から大きな虹が見え、それをTwitterに投稿したことがきっかけです。スピーチの最後にこの虹のことを、「これはサインに違いありません」「何かのしるしなのです」と触れています。

日本語字幕がつけられた動画は1,200万回以上再生（2021年7月現在）され、ことあるごとに繰り返しSNS上で拡散されてきました。特に2021年はこのスピーチが注目され、ウィリアムソンさんは、Twitterに何千件もの“いいね”がつく日本からの反響に驚いたといいます。

ニュージーランドでは、過去に同性愛が犯罪とされている時代もありましたが、2013年に同性婚が認められました。愛する人と結婚すること、セクシュアル・マイノリティーだからといって差別されないこと、これらはすべて、人としてすでにある権利です。ウィリアムソンさんは「若い世代が議会を掌握（しょうあく）することができるようになれば、必ず変化は起きます。訪れるべき変化を避け続けることはできないのですから」と述べています。

このページのキーワード

【セクシュアル・マイノリティー】
性的少数者のこと。レズビアン・ゲイ・バイセクシャル・トランスジェンダーなどを含む総称として使われることが多い。

【同性婚】
「性別」が同じ2人が結婚すること。現在日本では認められていない。

【レインボー】
1970年代後半、アメリカでゲイの解放運動における新たなシンボルとして「虹」を用いたレインボーフラッグが登場、LGBTQ＋の尊厳と社会運動の象徴とされている。

ビッグ・ゲイ・レインボー・スピーチとは…

レインボーはLGBTQ＋の尊厳と社会運動の象徴です。聖書にある「ノアの箱舟」の中で、洪水の後、ノアが舟から出た時に虹が現れたエピソードがあります。そこから虹は、誓いや約束、愛の象徴でもあるとされています。

2013年、ニュージーランドで同性婚を認める法律が採択された時、賛成したモーリス・ウィリアムソン議員（当時）が行ったスピーチ。

英語（抜粋）

However, a huge amount of the opposition was from moderates, from people who were concerned, who were seriously worried, about what this bill might do to the fabric of our society. I respect their concern. I respect their worry. They were worried about what it might do to their families and so on.

Let me repeat to them now that all we are doing with this bill is allowing two people who love each other to have that love recognized by way of marriage. That is all we are doing. We are not declaring nuclear war on a foreign State. We are not bringing a virus in that could wipe out our agricultural sector forever.

But I give a promise to those people who are opposed to this bill right now. I give you a watertight guaranteed promise.The sun will still rise tomorrow. Your teenage daughter will still argue back to you as if she knows everything. Your mortgage will not grow. You will not have skin diseases or rashes or toads in your bed. The world will just carry on.

So do not make this into a big deal.This bill is fantastic for the people it affects, but for the rest of us, life will go on.

日本語（抜粋）

しかしながら、反対意見の多くは、この法案が我々の社会にどう影響するかを心配している節度のある人たちからのものでした。彼らの懸念や心配を尊重します。彼らはこの法案が、自分の家族にどんな影響があるかといったことを、とても心配しているのです。

そんな人々に向けて、繰り返させてください。私たちはこの法案を通して、愛し合う2人の愛を、結婚というかたちで認める。ただそれだけです。私たちは、外国と核戦争を始めるのでも、農業を脅かすウイルスを撒き散らかそうとしているのでもないのです。

しかし、今この法案に反対している人に約束します。水も漏らさぬ約束を。太陽は明日も上ります。あなたのティーンエイジャーの娘さんは、すべてを知ったような態度で反抗するでしょう。明日急に住宅ローンが増えることはありません。突然に皮膚病を患うこともなければ、湿疹もできないし、ベッドの中からカエルが出てくることもありません。ただいつも通りの日常が続くのです。

だから、あまり大騒ぎしないでください。この法案は、関係のある人にとっては素晴らしいものです。一方、そうでない人にとっては、いつも通りの生活が続くだけなのです。

2021年6月、ウィリアムソンさんが日本語でTwitterに投稿

Hon.maurice williamson
@williamson_nz　6月6日

日本の報道機関の取材を希望しています。ここニュージーランドの同性婚法が私たちの社会に害を及ぼすことはなく、影響を受けた人々に大きな喜びをもたらしたことを説明する機会があれば幸いです。日本のすべての政治家がこのような結果に満足してくれることを願っています。本当に明らかです。

日本のマスメディアからの取材に対して、こうコメントしている。

同性婚を認めることで災厄が訪れるというのであれば、それが起きた国を一つでもあげてみてください。ニュージーランドでも、オーストラリアでも、カナダでも、オランダでも、ドイツでも、イギリスでも、そんなことは起きていません。社会は崩壊などしていません。では、なぜ日本ではそれが起きると言えるのでしょうか？日本だけが例外になるほど、特別な理由などあるのでしょうか？

Q LGBTQ＋の人々やコミュニティーを象徴するものはある？

A レインボーフラッグやプライドパレードがあります。

毎年6月は「プライド月間」と呼ばれ、世界中でLGBTQ＋を祝う「プライドパレード」が開催されています。

このパレードの始まりは、1970年、ニューヨークをはじめアメリカ各地で開かれたデモとされています。当時、LGBTは迫害の対象であり、警察等が不当な取り締まりを行うことも珍しくありませんでした。1969年、ニューヨークにあるゲイバー「ストーンウォール・イン」に警察が踏み込み、店内にいたゲイやトランスジェ

コミュニティーを象徴するものは…

ニューヨークで始まったプライドパレードは、現在、世界各国の都市で行われ、セクシュアル・マイノリティーのコミュニティーを象徴する色とりどりのプライドフラッグが掲げられています。

世界最大のプライドパレードはブラジル・サンパウロ

サンパウロのプライドパレードは、約300万人が参加するとされ、2006年にギネスブックによって「世界最大のプライドパレード」として認定された。

ンダーを不当に取り締まりました。その時、店内にいたLGBTが警察に抵抗し、大規模な反乱に発展。この事件はLGBTが公的権力に初めて立ち向かった事件「ストーンウォールの反乱」として歴史に刻まれ、これを記念して毎年6月にイベントが開催されるようになったのです。

ゲイ解放運動のシンボルとして

レインボーフラッグはギルバート・ベイカーによって考案され、1978年のサンフランシスコ・ゲイ・フリーダム・デイ・パレードで初めて公の場で使用されました。ゲイ解放運動の新たなシンボルとして依頼され、虹をモチーフにした8色の旗を考案しました。しかし、当時の染色技術では8色旗を大量生産するのが難しく、2色を抜いた6色の旗が広まったと言われています。現在は、レインボーフラッグだけでなく、LGBTQ+コミュニティーを象徴する多様なフラッグが考案され、プライドパレードを飾っています。

このページのキーワード

【トランスジェンダー(Transgender)】
生まれた時に割り当てられた自身の身体の性別とは、性自認（自分で思っている性別）が違っている人のこと。

【ゲイ(Gay)】
男性の同性愛者、男性を恋愛対象として好きになる男性のこと。

プライドパレード開催のきっかけとなったストーンウォールの反乱

2016年6月、ストーンウォール・インがナショナル・モニュメントに指定されると、それを祝って店の前に人が集まりました。

Rhododendrites / CC BY-SA 4.0

店の前に設置された「ストーンウォールの反乱を記念する銘板」。事件のあらましが記されています。

Grace.Mahony / CC BY-SA 4.0

LGBTQ+コミュニティーを象徴するフラッグは様々

LGBTQ+コミュニティーの連帯や相互信頼の表明のため様々なフラッグが考案され、使われています

・レインボーフラッグ

1978年から使われ始め、現在最も広く利用されている6色のプライドフラッグ

・レズビアンフラッグ

朱色やピンクなどの暖色と白のストライプで構成

・オリジナルフラッグ

ギルバート・ベイカー考案のオリジナルは8色旗。各色にそれぞれ意味を持たせた

・バイセクシュアルフラッグ

マゼンタは同性愛、ブルーは異性愛、中央のラベンダーは両方に惹かれることを表現

・トランスジェンダーフラッグ

水色は男の子、ピンクは女の子、白はジェンダー移行中やニュートラルな性別を表現

オリジナルは8色

ピンク:性
レッド:命
オレンジ:癒し
イエロー:太陽光
グリーン:自然
ターコイズ:芸術
ブルー:調和
バイオレット:精神

Q 多様なセクシュアリティーの人たちが登場するドラマや映画ってある?

A 国内、国外問わず名作がたくさんあります。

国内ドラマ

『おっさんずラブ』

2016年に深夜ドラマとして放送され人気を博した。おっさん上司と後輩から思いを寄せられ、モテ期がやってくるサラリーマン春田創一を田中圭が演じた。2019年には映画『劇場版 おっさんずラブ ～LOVE or DEAD～』も公開された。

テレビ朝日

『女子的生活』

NHKで2018年に放送。主人公の小川みきはファッション企業に勤めるOLで、見た目は女性だが身体の性別は男性というトランスジェンダー。現代社会に生きる等身大の「女子」を志尊淳が演じた。

発行・販売元：NHKエンタープライズ
(C) 2018 NHK

国内映画

『カランコエの花』

ある高校2年生のクラスで、「LGBTについて」の授業が行われたことをきっかけに、クラス内に当事者がいるのでは、といううわさが広まっていく。LGBTが抱える問題を周囲の人々の目線から描いた短編作品。第26回レインボー・リール東京グランプリ受賞作。

DVD：4,180円（税込）／Blu-ray：5,280円（税込）
発売・販売元：中川組
販売代理：オデッサ・エンタテインメント

『彼らが本気で編むときは、』

監督は荻上直子、2017年公開。女性として人生を歩もうとするトランスジェンダーの主人公リンコを生田斗真、その恋人マキオを桐谷健太が演じた。渋谷区教育委員会が初の推奨作品に選定。

DVD：5,390円（税込）／Blu-ray：6,380円（税込）
発売元：ジェイ・ストーム

海外ドラマ

『glee／グリー』

2010年代に世界を熱狂させた青春ミュージカルドラマ。ゲイやレズビアン、トランスジェンダーなどLGBTQ＋の生徒、車椅子ユーザーやダウン症などハンディキャップのある生徒、黒人、アジア人、ユダヤ人など人種的マイノリティーの生徒が活躍し、廃部寸前のグリークラブを立て直す。

Blu-ray：3,390円（税込）／ DVD：3,130円（税込）
販売元：ウォルト・ディズニー・ジャパン株式会社

『クィア・アイ』

Netflix製作。ゲイとノンバイナリーの5人組・ファブ5が依頼人の外見と内面を改造していく。「クィア・アイ in Japan！」では、渡辺直美らも出演し日本を舞台に製作が行われた。

Netflix

海外映画

『アデル、ブルーは熱い色』

2014年公開、フランスの映画。高校生のアデルは、道ですれ違ったブルーの髪の女性エマに、一瞬で恋に落ちる。カンヌ国際映画祭で、最高賞であるパルム・ドールを受賞。

販売元：パラマウント ジャパン

『ボーイズ・ドント・クライ』

1999年アメリカ製作。主人公のブランドンは、トランスジェンダー男性。ある事件がもとでブランドンの秘密が明るみになり、悲劇が始まる。実際に起こった事件を基に映画化。

販売元：20世紀フォックス・ホーム・エンターテイメント・ジャパン

『ブロークバック・マウンテン』

2006年公開。主演はヒース・レジャーとジェイク・ギレンホール。保守的なアメリカの西部で、20年以上にも渡って男性同士の愛を貫いた2人を演じた。ヴェネチア国際映画祭で金獅子賞を受賞。

Blu-ray：2,075 円（税込）／ DVD：1,572 円（税込）
発売元：NBCユニバーサル・エンターテイメント

『アバウト・レイ 16歳の決断』

2018年公開。男性として生きたいと告白した16歳のレイをエル・ファニングが演じた。恋多き母親のマギーとレズビアンの祖母ドリーは、戸惑いながらも、次第にレイの一番の理解者になっていく。

Blu-ray：5,280円（税込）／ DVD：4,290円（税込）好評発売中
発売元：ファントム・フィルム販売元：ハピネット・メディアマーケティング

『わたしはロランス』

2013年公開。カナダの新進気鋭の映画監督グザビエ・ドランの長編3作目。女性になりたい男性・ロランスとそれを打ち明けられた恋人・フレッドの10年におよぶ愛を描いたラブストーリー。

Blu-ray：5,280円（税込）　発売元：アップリンク
販売元：TCエンタテインメント

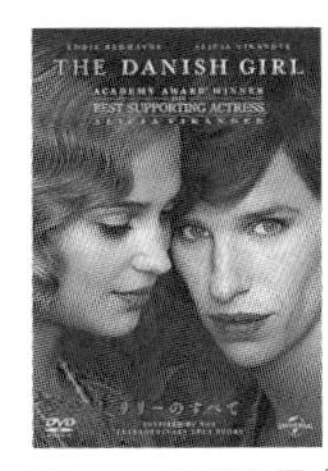

『リリーのすべて』

2016年公開。舞台は1926年のデンマーク、世界初の性別適合手術を受けたリリー・エルベの実話を描いた伝記ドラマ。主演はエディ・レッドメインで、アカデミー賞主演男優賞にもノミネートされた。

Blu-ray：2,075 円（税込）／ DVD：1,572 円（税込）
発売元：NBCユニバーサル・エンターテイメント

※このページの情報は2021年8月のものです。

Q 「ジェンダーニュートラル」ってどういうこと？

A 様々なものごとを男女で二分しない考え方です。

2015年に国連サミットで採択された「SDGs」には、「誰も置き去りにしない」という目標のもと、「ジェンダー平等」や「人や国の不平等をなくそう」などの項目が掲げられています。この方針にそって、今、性別やジェンダーにとらわれず個性を認め合う「ジェンダーニュートラル（Gender Neutral）」という考え方が急速に広まっています。

物事を判断したり、商品を創ったり、制度を設計する際に、男女以外の性を自認する人を含めたあらゆる人々にとって違和感や不快感を生まないようにしようとする考え方です。私たちの身の回りでも、様々な場面で「ジェンダーニュートラル」を取り入れている事例があります。

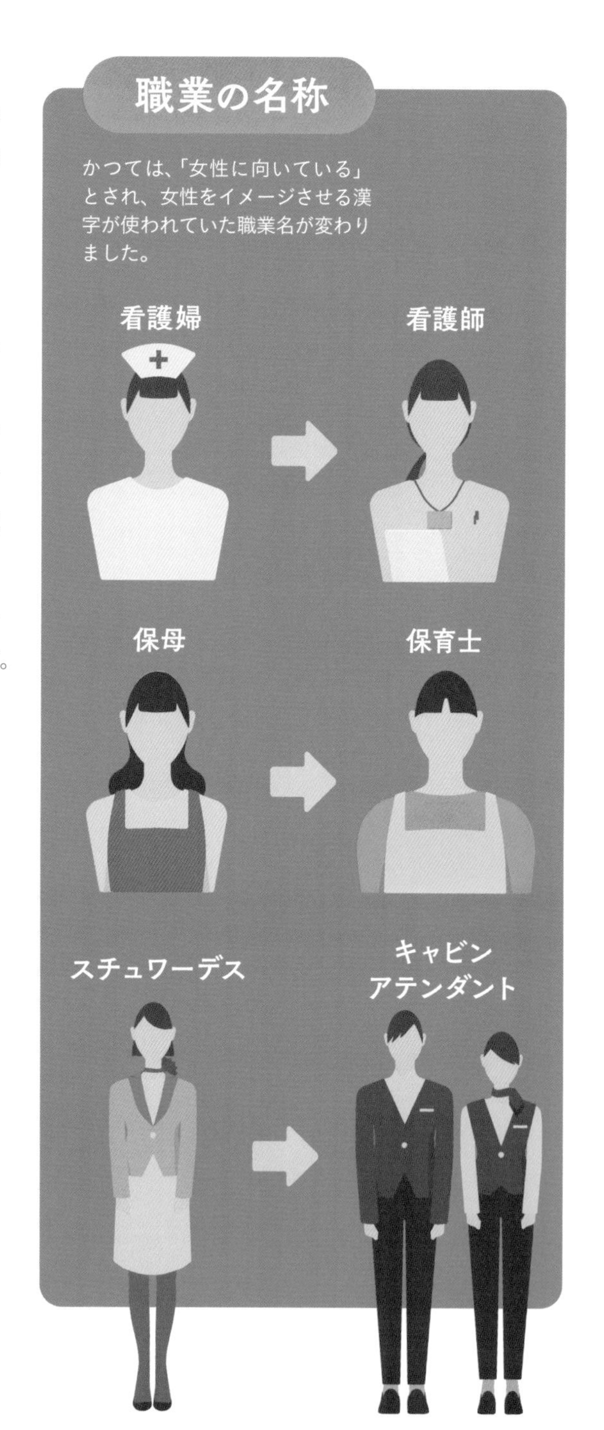

このページのキーワード

【ジェンダーニュートラル】
性別を意味するジェンダー（gender）と中立を意味するニュートラル（neutral）を組み合わせた英語。「女はこうあるべき」「男はこうあるべき」というようなジェンダーによる役割認識にしばられない言葉や思考、社会制度などのことを指す。

【ユニセックス】
男女の区別がないという意味。主にファッションで、男女どちらでも着ることができる衣服やスタイルのことをいう。

ファッション

制服のジャケットにも
ユニセックスなデザインが登場
画像提供：株式会社トンボ

ユニセックスを
テーマにしたスニーカーも登場
画像：コンバースジャパン株式会社

ファッション誌でも
ユニセックスな着こなしでの
リンクコーデを紹介

自分らしさの表現手段のひとつであるファッションは、ジェンダーニュートラルが進んでいる業界です。Tシャツやトレーナーをはじめ、街中では男女兼用のユニセックスな服や着こなしを見かけることでしょう。

おもちゃ

性別に関係なく遊べる人形
画像：Mattel

男女にかかわらず「ままごとが好きな子どもが多い」との調査結果に基づき、ブルーやグレーを基調としたままごと用品が登場しています。また、2019年9月にマテル社が発表した人形は、胸のふくらみや腰のくびれのない中性的な体型に、ロングとショートのウイッグがついていて、服の組み合わせで男の子、女の子、どちらでもないようにもできる仕様となっています。

男の子も抵抗がない
ブルーのままごとキッチン
画像提供：LOWYA

Q 私たちが普段使う言葉もジェンダーの影響を受けているの？

A 公文書などで、ジェンダーニュートラルな言葉の使用が広がっています。

多様なセクシュアリティーを表すための「男女」にとらわれない新しい言葉や表現が広がっています。こうした言葉を、性別を特定したり、ジェンダーバイアス（性に関する偏見）に基づいていたりするような表現(gendered language)に対して、「ジェンダーニュートラル言語」(gender-neutral language）と呼びます。

例えば、「看護婦」や「保母」という言葉は、ケアに関わる仕事は女性がやるものという偏見に基づいていると考えられ、「看護師」や「保育士」といった性別を問わない表現に置き換えられています。

こうしたジェンダーバイアスに基づく表現を中立的な言葉に言い換えていくことをポリティカル・コレクトネスといいます。1980年代ころのアメリカで広がり、近年では条例等を定める地域も出てきました。

2019年、アメリカ・カリフォルニア州バークレー市議会で、公文書などの用語を性による区別のない表現に置き換える条例が可決され、そのリストが示されました。

カルフォルニア州は、LGBTQ＋の人たちの権利を侵害する法がある州への公費での不要不急の渡航を禁止する法律（2016年）や公文書の性別表記として「ノンバイナリー」を加えるジェンダー承認法（2017年）が成立するなど、セクシュアル・マイノリティーの権利擁護に積極的な州として知られています。

日常生活の中のジェンダーニュートラルな言葉づかい

日常生活の中でも、言葉や表現が少しずつ変化しています。

●職業の名称

男女雇用機会均等法や男女共同参画基本法などを機に、「婦」や「母」がつく職業名が変化しています。

- 看護婦 ➡ 看護師
- 助産婦 ➡ 助産師
- 保母 ➡ 保育士
- 婦警 ➡ 女性の警察官

●呼びかけの言葉

公共交通機関などで、客に呼びかける時に使われていた「レイディース　アンド　ジェントルメン(ladies and gentlemen)」というアナウンスは、他の言葉に言い換えられるようになってきています。

ladies and gentlemen ➡ all passengers / everyone

●人称代名詞

- 「He」「She」→「They」
  2019年、『メリアム・ウェブスター』辞典にノンバイナリーの人を指す三人称代名詞として「They」が追加された。
- スウェーデン語「hen」
  性別不明な場合に使用する代名詞として言語学者が1960年代に開発。

ジェンダーに基づく言葉は想像よりも多いかもしれない

リストを見ると「この言葉もジェンダーバイアスに基づいていたのか」と気づくかもしれません。

●バークレー市の言い換えリスト

意味	従来の表現	言い換え表現
保証人	Bondsman	Bonds-person
兄弟 / 姉妹	Brother / Sister	Sibling
議長	Chairman	Chair,Chairperson
職人	Craftsmen	Craftspeople, Artisans
消防士	Fireman, Firewoman	Firefighter
兄弟のような、友愛の	Fratemal	Social
相続人	Heirs	Beneficiaries
職人	Journeyman	Journey
乙女	Maiden	Family
男女	Male and Female	People of different genders
マンホール	Manhole	Maintenance hole
人工の	Manmade	Human-made, Artificial, Manufactured
マンパワー	Manpower	Human effort, Workforce
マスター	Master	Captain, Skipper, Pilot etc...
男性と女性	Men and women	People
男性または女性	Men or women	A single gender
オンブズマン	Ombudsman	Ombuds, Investigating Official
巡査、巡視員	Patrolmen	Patrol, Guards
警察官	Policeman, Policewoman	Police officer
妊婦	Pregnant woman	Pregnant employee
修理工	Repairman	Repairs, Repairer
外交販売員	Salesman	Salesperson,Salespeople
女子寮 / 男子寮	Sorority / Fraternity	Collegiate Greek system residence
スポーツ選手、アスリート	Sportsman	Hunters
女性も含んでいる男性名詞	The masculine pronoun includes the feminine	Words referring to a specific gender may be extended to any other gender
警備員	Watchmen	Guards

このページのキーワード

【ジェンダーニュートラル】
性別を意味するジェンダー(gender)と、中立を意味するニュートラル(neutral)を組み合わせた英語。「女はこうあるべき」「男はこうあるべき」というようなジェンダーによる役割認識にしばられない言葉や思考、社会制度などのことを指す。

【ポリティカル・コレクトネス】
人種・宗教・性別などの違いによる偏見・差別を含まない、中立的な表現や用語を用いること。

【ジェンダーバイアス】
「男は外で仕事をするべきとか女は家事に専念すべき」といった、社会でつくられた男女の役割分担に対する固定観念や偏見のこと。

【ノンバイナリー】
身体的性に関係なく、自身の性自認・性表現を「男性」「女性」の二択で捉えないセクシュアリティーのこと。バイナリー(binary)は二分法の意味で、性別二元論にとらわれないという意味から。

出典:CBS NEWS「City to ban gendered language like "manhole," "manpower" and "firemen"」2019年7月18日

Q ジェンダーニュートラルでファッションも変わるの？

A ファッション業界でも、ジェンダーニュートラルの流れが急速に広がっています。

男性服を女性向けにデザインして女性を解放したサンローランのチャレンジ

創業者イヴ・サンローラン氏は、自身がゲイを公表したこともあり、ブランド立ち上げ当時から引退時まで、従来のジェンダー観でしばられていた女性をファッションで解放するチャレンジを続けました。

男性服だったサファリジャケットやPコート、トレンチコートなどを女性用にデザインし、ジェンダーフリーなものにしていきました。

女性のためのタキシードスーツ

1966年、男性の服であったタキシードを女性が美しく見えるようにデザインした「ル・スモーキング」が、女性のパンツスーツの原型。当時は男女の社会的立場が平等ではなかったため「女性にも男性と同じ基本的な服を持ってほしい」と提案。これ以降、女性のパンツスタイルも世間に受け入れられるようになっていきました。

このページのキーワード

【SDGs (Sustainable Development Goals)】
2030年までに達成をめざす持続可能な開発のための国際的な目標。17の世界的目標からなる。

【ジェンダーレス】
生物学的な性差を前提とした社会的、文化的性差をなくそうとする考え方を意味する言葉。

【ノージェンダー】
ファッション界で、女物の服、男物の服という概念を取り払い、自分の着たいものを着るというスタイル、着る人の性別を感じさせないファッションのことを指す。

ファッションの中のジェンダーは、生活スタイルとともに変化してきました。例えば「男は仕事、女は家庭」の時代は、「男はパンツ、女はスカート」が当たり前でした。男性はシンプルで素材のいい服が良いセンスとされ、色や柄、形にこだわる服を着たり、アクセサリーをつけたりするのは女性の行為と見なされていました。

先に変化したのは、女性のファッションです。家庭の外で働く女性が増え、職場でのスーツやパンツ姿が一般的になり、日常着でもメンズのスタイルを取り入れたレディースが広まりました。Tシャツやスニーカーなど男女兼用が特別ではなくなっていく一方でフェミニンな色や柄のメンズも人気となっていきます。

2015年、国連の世界目標「SDGs」の中に「ジェンダー平等」が掲げられました。この頃から、パリやミラノなどのコレクションでも、世界的なブランドが「ジェンダーレス」や「ノージェンダー」をテーマに新作を発表しました。ジェンダーレスの小物やアクセサリー、化粧品も登場し、ジェンダーニュートラルは、今やファッション界の潮流となっています。

ジェンダーニュートラルに大きな影響を与えているグッチ

2016年春夏メンズコレクションで、"女らしさ"を感じさせる素材やデザインを取り入れ、ジェンダーレスファッションをアピールしました。

2020年、ジェンダーニュートラルプロジェクト「GUCCI MX」を立ち上げ。

様々な表現手法で、グローバルブランドが「ジェンダーニュートラル」を宣言!

男女のモデルが同じデザインの服を着て表現

2016年春夏
セオリーの
メンズコレクション

2015年
ディーゼルの広告

「this ad is gender neutral.(この広告はジェンダーニュートラル)」。男女兼用商品のPRコピーでずばり表現

Q 多様なセクシュアリティーを考えるための漫画や小説はある?

A 文学賞・漫画賞の受賞作、当事者が書いた作品などたくさんあります。

まずは漫画で楽しみながら

『弟の夫』
田亀源五郎／双葉社

主人公の弥一は小学生の娘を男手ひとつで育てるシングルファーザー。そんな彼のもとに今は亡き双子の弟・涼二の結婚相手だったカナダ人男性マイクが訪れる。ドラマ化もされ話題に。2015年文化庁メディア芸術祭でマンガ部門優秀賞を受賞。

『このマンガがすごい！COMICS ECHOES』
歩／宝島社

女子バスケを舞台に、トランスジェンダーの主人公・青やチームメイトたちの葛藤を描いた青春マンガ。作者の歩さんもトランスジェンダーの当事者。第7回「このマンガがすごい!」大賞最優秀賞受賞。

『ボーイズ・ラン・ザ・ライオット』
学慶人／講談社

身体は女性、頭の中は男性の高校生・凌が主人公。スカートを強制されることに嫌気がさしていた頃、自由奔放な留年生・迅が現れ、一緒にファッションブランドを立ち上げることに。作者の学慶人さん自身もトランスジェンダー。

『きのう何食べた?』
よしながふみ／講談社

弁護士のシロさんと美容師のケンジの2人はゲイのカップル。2人のほろ苦くもあたたかい毎日と、日々の食卓を描いた物語。2019年にドラマ化された。2021年11月には映画も公開予定。

『夏の約束』
藤野千夜／講談社文庫

ゲイのカップルの会社員マルオと編集者ヒカル。ヒカルと幼なじみの売れない小説家菊江。男から女になったトランスセクシャルな美容師たま代。彼らの日常を描いた。芥川賞受賞作。

『最後の息子』
吉田修一／文春文庫

ゲイバーを経営するクィアな閻魔ちゃんの家に転がり込んだ「ぼく」。友だちが殺された事件を契機に、気楽なモラトリアム生活がうまくいかなくなってしまう。第84回文學界新人賞を受賞。

『きらきらひかる』
江國香織／新潮文庫

アルコール依存症の妻、同性愛者の夫、そして夫の恋人の奇妙な三角関係を描いた作品。世間一般的に受け入れられにくい生きづらさをそれぞれが抱えながらも、自分らしく生きていく様を瑞々しく描いた。のちに映画化。

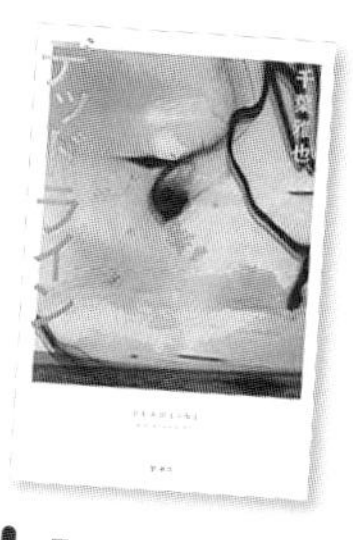

『デッドライン』
千葉雅也／新潮社

小説の舞台は2001年の東京。哲学専攻の大学院生が卒業のための論文を書くにあたって、自らのこと、ゲイという性、友人や両親との関係について悩み、格闘する様を描く。野間文芸新人賞受賞。

『片想い』
東野圭吾／文春文庫

100万部を超えた傑作ミステリーで、直木賞にノミネートされた。主人公の哲郎は、10年ぶりに会った友人の美月から、彼女が性同一性障害であること、そしてある人物を殺したことを告白される。

『生のみ生のままで』
綿矢りさ／集英社

携帯電話ショップで働く逢衣と、芸能界で活躍する彩夏。生きる環境が異なり、これまで互いに男性と交際していた2人が恋に落ちる。幸せに満ちた日々だったが、ある事件をきっかけに状況は一変する。

往年の名作から、
近年の話題作まで

ジェンダーを学ぶ

『逃げるは恥だが役に立つ』
海野つなみ／講談社

ドラマ化され人気を博した作品。夫＝雇用主、妻＝従業員という「契約結婚」を選択した2人が、従来の価値観にとらわれることなく仕事や夫婦のあり方に向き合っていく。女性の家事労働にも焦点を合わせている

『たてがみを捨てたライオンたち』
白岩玄／集英社文庫

専業主夫になるか悩む出版社社員の直樹、離婚して孤独をもてあます広告マンの慎一、モテないアイドルオタクの幸太郎。「男らしさ」の呪縛に悩む3人の男性が主人公。今の時代に男らしさは必要か、を問いかける。

Q トランスジェンダーの人はスポーツの大会には出られるの？

A 国際オリンピック委員会（IOC）の基準に沿って出場できますが、その妥当性が問題になっています。

「女性」には競技参加までに様々なハードルがある

男性種目は無条件に参加できるのに対し、
女性種目には様々な制限が存在している。
すでに廃止されたものには、
「性別適合手術を受ける」「染色体検査で女性である」
「裸になって医師の検査を受ける」などもあった。

性自認が「女性」である

自認した性を4年間変更しない

血中のテストステロン値が
1年間一定レベルを下回る

「2020東京オリンピック」の重量挙げのニュージーランド代表に、トランスジェンダー女性が選ばれました。IOCでは、トランスジェンダー女性（MtF）が競技に参加するために様々な基準を設け、それをクリアすることを求めています。一方で、トランスジェンダー男性（FtM）にはこうした基準はありません。

国際社会では、身体の性と性自認が違うことが受け入れられるようになりつつあります。しかし、身体を使って競うスポーツは遅れている分野と言われています。

「女性」に対する「性別確認」は、1950年に国際陸上競技連盟（現ワールドアスレティックス）で導入され、68年にはオリンピックでも実施されるようになりました。医師団の前で全裸で歩くよう求められるなどの方法が問題となり、68年に染色体による、いわゆる「科学的な確認」に移行し、現在は主にテストステロン値による検査が行われています。1999年に公式な性別確認は禁止されたものの、2021年現在も疑惑がある場合の検査が認められています。その結果、性分化疾患（DSD）患者やトランスジェンダー女性が、記録を取り消されたり出場辞退を迫られたりするなどの事例も起きています。

そうした問題を解消するためのひとつの方法として、バランス感覚を競うなど男女差の出ない競技をスポーツとして積極的に取り入れる動きがあります。英米圏では元来、チェス、ポーカー、数独などゲーム性のあるものはスポーツと呼ばれていました。近代以降、身体を使った競技に偏ってきたスポーツを元来の意味に戻し、誰もが参加できるあり方が模索されています。

性別確認により、記録取り消しや出場停止に追い込まれた「女性」たちの事例は後を絶たない

エワ・クロブコフスカ（ポーランド）

1964年東京オリンピックの4×100mリレーで金メダルを獲得し、翌年には100mで11秒1の世界新記録を樹立。1967年、染色体検査で女性ではないと診断され競技を続けることができなくなった。翌年、出産した。

キャスター・セメンヤ（南アフリカ）

2009年ベルリン世界陸上の800mで金メダルを獲得したが、その後DSDであることが報道され、以降の大会出場自粛を求められるなどした。彼女がDSDであることを知ったのは大会への出場がきっかけ。先進国では幼少期に発覚することがほとんどであり、彼女のように大会出場の検査によって発覚するのは、医学が発達途上のアフリカや中南米の国に多く見られる。

このページのキーワード

【性分化疾患（DSD）】
Disorder of Sex Development。身体的に、典型的な女性あるいは男性の構造に一致しないこと。以前はインターセックス（Intersex）と呼ばれていたこともある。

【トランスジェンダー女性（MtF）】
出生時に割り当てられた性別が男性で、自認する性別が女性である人。トランスジェンダー女性。

【テストステロン値】
「男性ホルモン」の代表であり、筋肉質な体型やがっしりした骨格などを構成するために重要な性ホルモン。

PART 4 参考文献・資料

【書籍・論文・報告書】

- 石田仁『はじめて学ぶLGBT　基礎からトレンドまで』ナツメ社、2019年
- 神谷悠一・松岡宗嗣『LGBTとハラスメント』集英社新書、2020年
- QWRC&徳永桂子『LGBTなんでも聞いてみよう　中・高生が知りたいホントのところ』子どもの未来社、2016年
- 国連人権高等弁務官事務所（山下梓訳）『みんなのためのLGBTI人権宣言　人は生まれながらにして自由で平等』合同出版、2016年
- ジャリル・レスペール監督『イヴ・サンローラン』、ピエール・ニネ、ギョーム・ガリエンヌ、シャルロット・ルボン出演、2014年、KADOKAWA（DVD）
- 馬場まみ「ファッションにみるジェンダー ―― 婚礼衣装と学校制服 ――」『日本衣服学会誌』54（2）、P91-94、2011年
- 森山至貴『LGBTを読みとく ―― クィア・スタディーズ入門』ちくま新書、2017年

【Webサイト・記事】

- **朝日新聞デジタル**　https://www.asahi.com
  - 「『ze』を知ってますか？　性別表す用語、進む言い換え」、2019年7月26日
- **AMP**　https://ampmedia.jp
  - 「おもちゃも"ジェンダー・ニュートラル"へ。子どもたちに伝えるメッセージは『あなたたちは何にでもなれる』」、2019年11月9日
- **国際連合広報センター**　https://www.unic.or.jp
- **CBS NEWS**　https://www.cbsnews.com
  - 「City to ban gendered language like "manhole," "manpower" and "firemen"」、2019年7月18日
- **Speakola**　https://speakola.com/
  - 「Maurice Williamson: 'Be ye not afraid', Big Gay Rainbow speech - 2013」
- **NIKKEI STYLE**　https://style.nikkei.com
  - 「モード界に『ノー・ジェンダー』の波　性差越える作風」、2015年11月22日
- **Newshub.**　https://www.newshub.co.nz
  - 「Maurice Williamson: An unlikely gay icon」、2013年4月18日
- **BuzzFeed**　https://www.buzzfeed.com/jp
  - 「『日本人のフォロワーが沢山だ！』再び大拡散した感動的なスピーチ、論破劇が爽快」、2021年5月31日
  - 「『同性婚を認めて8年、社会は崩壊していません』ニュージーランド元議員が日本の政治家に問いかけること」、2021年6月18日
- **HUFFPOST**　https://www.huffingtonpost.jp
  - 「『同性婚を認めても、関係ない人にはただ今まで通りの人生が続くだけ』。賞賛を集めたニュージーランド議員のスピーチ」、2020年10月5日
- **VOGUE　JAPAN**　https://www.vogue.co.jp
  - 「世界で急速に浸透しつつあるマインド、『ジェンダーニュートラル』の可能性を探る。【コトバから考える社会とこれから】」、2020年8月1日
- **YouTube「MBチャンネル」**
  https://www.youtube.com/channel/UCagAVZFPcLh9UMDidIUfXKQ
  - 「服知識！サンローランの歴史を学ぶ！何がスゴイのか？【ブランド百科事典】」、2020年11月17日
- **The Washington Post**
  https://www.washingtonpost.com
  - 「A guide to how gender-neutral language is developing around the world」、2019年12月15日

おわりに

誰もが自分らしくいきいきと暮らせる社会に向けて

この本は、誰もが「LGBTQ+を自分のこととして捉(とら)える社会になっていくといいな」という願いを込めてつくりました。

各PARTの始まりのページでは、LGBTを自覚している人たちの生の声を紹介しています。悩んでいること、困ったこと、うれしかった出来事、社会に伝えたいメッセージなど内容は様々ですが、どれも、日常生活を送る中での切実な声です。こうした声は、この本を手にとったみなさんのすぐ隣にいる人が感じていることかもしれませんし、みなさん自身が日ごろ考えていることかもしれません。

また、本書の中では、よく見聞きする言葉や漫画、小説、映画などのエンターテインメント、スニーカーや洋服などのファッションの話題も取り上げ、様々な分野で、「ジェンダーレス」や「ジェンダーニュートラル」を意識した変化が進んでいることを解説しています。

「LGBTQ+」や「ジェンダー」というテーマは、誰にとっても身近なものであり、その本質は「自分らしさ」について考えること。だから、正しく理解する人が増えれば、「誰もが自分らしく暮らせる社会」に一歩近づく、と私たちは考えました。

そういう意味で、ぜひ、知ってもらいたいのが、「アライ（Ally）」の存在です。アライとは、もともと英語で「味方」「仲間」の意味を持つ単語で、LGBTQ+を理解し、偏見(へんけん)や差別を持たずに当事者に寄り添う人のことをいいます。

この本をつくっている間にも、たくさんのアライに出会い、様々な情報やヒントをいただきました。

「友人のお子さんのお誕生日祝いは、ジェンダーニュートラルのおもちゃにしています」「ファッション界では昔からLGBTの人たちが活躍していました。表現の世界は政治より進んでいます」「デンマークには、LGBTQ+専門図書館がありますよ」「制服の採寸の時、はじめてトランスジェンダーだと気づく学生も多いです。制度が整ったとしても、結局は一人ひとりに寄り添うことが大事だと実感しています」。

いただいた情報すべてを掲載(けいさい)することはできませんでしたが、取材や編集の指針にさせていただきました。この場をかりてお礼申し上げます。

この本の制作に関わる人たちがアライになっていったように、本書がアライの輪を広げるきっかけになれば、幸いです。

2021年8月
一般社団法人社会応援ネットワーク

用語集&索引

【アウティング】
あうてぃんぐ

本人の同意なく第三者にその人の性のあり方を暴露してしまうこと。 ➡P21,44,45,59

【アセクシュアル】
あせくしゅある

Asexual。他者に性的関心を持たない人、性的行為への欲求が低いまたはない人。ノンセクシュアルということもある。 ➡P16-17

【アライ】
あらい

Ally。主にLGBTQ＋の当事者ではないけれども当事者を理解し支援したいと思う人のこと。 ➡P16-17,89

【アロマンティック】
あろまんてぃっく

Aromantic。他者に恋愛的関心、恋愛指向を持たない人。 ➡P16-17

【異性愛】
いせいあい

男性だったら女性、女性だったら男性というように、異性に対して恋愛感情を寄せること。→ヘテロセクシュアル
➡P14,19,22-25,30-31,34-35

【エックスジェンダー】
えっくすじぇんだー

Xgender。性自認が男性にも女性にもあてはまらない人。 ➡P16-17

【FtM】
えふてぃーえむ

出生時に割り当てられた性別が女性で、自認する性別が男性である人。トランスジェンダー男性。 ➡P87

【MtF】
えむてぃーえふ

出生時に割り当てられた性別が男性で、自認する性別が女性である人。トランスジェンダー女性。 ➡P87

【LGBTQ＋】
えるじーびーてぃーきゅーぷらす

レズビアン、ゲイ、バイセクシュアル、トランスジェンダー、クエスチョニング、それぞれの言葉の頭文字から取った表現で、セクシュアル・マイノリティーの人たちを表す総合的な呼び方のひとつ。 ➡随所

【オリンピック憲章】
おりんぴっくけんしょう

国際オリンピック委員会(IOC)が採択したオリンピックに関する根本原則や規則を成文化したもの。「このオリンピック憲章の定める権利および自由は人種、肌の色、性別、性的指向、言語、宗教、政治的またはその他の意見、国あるいは社会的な出身、財産、出自やその他の身分などの理由による、いかなる種類の差別も受けることなく、確実に享受されなければならない」とする規定がある。 ➡P53

【学習指導要領】
がくしゅうしどうようりょう

全国どこの学校でも一定の水準が保てるよう、文部科学大臣が公示する教育課程(カリキュラム)の基準。およそ10年に1度改訂されるが、2021年現在最新の学習指導要領にLGBTQ＋に関する記載はない。 ➡P35,38-39

【カミングアウト】
かみんぐあうと

これまで伝えていなかった自分自身のセクシュアリティー等を、周囲に開示すること。
➡P19,21,31,44-45,62

【クエスチョニング】
くえすちょにんぐ

Questioning。性自認や好きになる性について、わからない・決められない、あるいは、あえて決めていない人のこと。 P14-17

【ゲイ】
げい

Gay。男性の同性愛者、男性を恋愛対象として好きになる男性のこと。
P14-16,20-22,23,44,72-75,77

【結婚(婚姻)】
けっこん

「婚姻届」によって夫婦になること。法律上の「家族」として認められる。夫婦の新たな戸籍がつくられ、夫または妻の姓(苗字)を称することと定められている。 P62-63

【ジェンダーギャップ】
じぇんだーぎゃっぷ

男女の違いにより生じている格差のこと。近年では、ジェンダーは男女の二元で捉えられるものではないという視点から、セクシュアル・マイノリティーなども含めて語られることも多い。
P64-67

【ジェンダーニュートラル】
じぇんだーにゅーとらる

性別を意味するジェンダー(gender)と、中立を意味するニュートラル(neutral)を組み合わせた英語。「女はこうあるべき」「男はこうあるべき」というようなジェンダーによる役割認識にしばられない言葉や思考、社会制度などのことを指す。 P78-83,89

【ジェンダーレス】
じぇんだーれす

生物学的な性差を前提とした社会的、文化的性差をなくそうとする考え方を意味する言葉。
P32-33,82-83,89

【ジェンダー・ロール】
じぇんだー・ろーる

社会生活で性別によって固定的な役割を期待されること。例えば、「男は外で仕事をするべき」など。性別役割分担ともいう。 P10-11

【事実婚】
じじつこん

婚姻届は出していないが、同居する2人が婚姻に準ずる関係であること。住民票等では、「妻(未届)」「夫(未届)」と記載することが可能。
P62

【シスジェンダー】
しすじぇんだー

生まれた時の性別と性自認が一致している人のこと。 P14-15,24-25,67

【性自認】
せいじにん

Gender Identity。自分の性をどう認識しているかのこと「こころの性」と呼ばれることもある。 P12-13,24-25

【性的指向】
せいてきしこう

Sexual Orientation。恋愛や性的な関心がどの性別に向くか・向かないかのこと。
P12-13,24-25

【性同一性障害】
せいどういつせいしょうがい

Gender Identity Disorder(GID)。身体的性別と性自認が異なる人の中でも、特に精神医学的に診断基準を満たした人のこと。
P14,36-39,56-57

【性同一性障害特例法】
せいどういつせいしょうがいとくれいほう

一定の条件を満たす性同一性障害者が性別変更を行うのために手続きなどを定めた法律。日本で2004年に施行。 P56-57

【性表現】
せいひょうげん

Gender Expression。自分の性をどう表現するかのこと。 P12-13,24-25

【性分化疾患】
せいぶんかしっかん

Disorder of Sex Development(DSD)。身体的に、典型的な女性あるいは男性の構造に一致しないこと。 以前はインターセックス(Intersex)と呼ばれていたこともある。 P17,87

【性別】
せいべつ

生まれた時に割り当てられ、出生届に記された性。「男」「女」のどちらかになる。 P10-17,22-25,56-57,66-67

【性別適合手術】
せいべつてきごうしゅじゅつ

Sex Reassignment Surgery。トランスジェンダーのうち、手術前の身体の性的特徴に対して強い違和感や嫌悪感を抱いている人に対し、内外性器の形状を性自認に合わせるために行う外科手術。 P20,30,56-57

【性別二元論】
せいべつにげんろん

性を「男」と「女」のどちらかに分類する考え方のこと。 P10-11,22

【世界人権宣言】
せかいじんけんせんげん

人権および自由を尊重し確保するために「すべての人民とすべての国とが達成すべき共通の基準」を宣言したもの。1948年に国連総会で採択された。 P53

【セクシュアリティー】
せくしゅありてぃー

法律上の性、性自認、性的指向、性表現などを含んだ性のあり方の総称。 随所

【セクシュアル・マイノリティー】
せくしゅある・まいのりてぃー

性的少数者のこと。レズビアン・ゲイ・バイセクシュアル・トランスジェンダーなどを含む総称として使われることが多い。 随所

【SOGI】
そじ

性的指向と性自認の頭文字を取った、LGBTを含むすべての人の性のあり方を示す言葉。 P12-13,25

【ソドミー法】
そどみーほう

同性愛を禁止する法律の通称。ゲイカップルが手をつないで歩くだけで逮捕された事例もある。 P20-21

【デミセクシュアル】
でみせくしゅある

Demisexual。他者に性的関心を持たないが、特に相手への強い信頼や結びつきなどがある場合に限って性的な欲求を感じる人。 P17

【デミロマンティック】
でみろまんてぃっく

Demiromantic。他者に恋愛的関心を持たないが、特に相手への強い信頼や結びつきなどがある場合に限って恋愛感情を持つ人。 P17

【同性婚】
どうせいこん

「性別」が同じ2人が結婚すること。現在日本では認められていない。 P21,54-55,60,72-73

【トランスジェンダー】
とらんすじぇんだー

Transgender。生まれた時に割り当てられた自身の身体の性別とは、性自認(自分で思っている性別)が違っている人のこと。 P14-16,20,30-31,36-37,40-43,56-57,67,75,86-87,89

【トランスジェンダー関連法】
とらんすじぇんだーかんれんほう

トランスジェンダーの人々が、自らの性自認を法律上認定してほしいと望む場合、性別変更できるように続きなどを定めた法律のこと。
P56-57

【ノンバイナリー】
のんばいなりー

Nonbinary。身体的性に関係なく、自身の性自認・性表現を「男性」「女性」の二択で捉えないセクシュアリティーのこと。バイナリー(binary)は二分法の意味で、性別二元論にとらわれないという意味から。 P17,80-81

【パートナーシップ制度】
ぱーとなーしっぷせいど

戸籍上は同性であるカップルに対して、地方自治体が、2人が生活をともにするパートナーであることを承認する制度。同性・異性を問わない自治体もある。世界では1989年にデンマークで初めてパートナーシップ法が制定された。
P21,45,54-55,60-63

【バイセクシュアル】
ばいせくしゅある

Bisexual。男性と女性、両方の性を好きになる人のこと。 P14-16

【パンセクシュアル】
ぱんせくしゅある

Pansexual。相手の性、性自認にかかわらず性的関心を持つ人。 P16-17

【パンロマンティック】
ぱんろまんてぃっく

Panromantic。相手の性、性自認にかかわらず恋愛的関心を持つ人。 P17

【+】
ぷらす

LGBTQに含まれない性のあり方を示す表現。
P16-17

【ヘテロセクシュアル】
へてろせくしゅある

男性が女性を好きになる、女性が男性を好きになる等、異性愛の人のこと。 P14-15,24-25

【ポリティカル・コレクトネス】
ぽりてぃかる・これくとねす

人種・宗教・性別などの違いによる偏見・差別を含まない、中立的な表現や用語を用いること。
P80-81

【ユニセックス】
ゆにせっくす

男女の区別がないという意味。主にファッションで、男女どちらでも着ることができる衣服やスタイルのことをいう。 P33,78-79

【レインボー】
れいんぼー

1970年代後半、アメリカでゲイの解放運動における新たなシンボルとして「虹」を用いたレインボーフラッグが登場、LGBTQ+の尊厳と社会運動の象徴とされている。 P72-75

【レズビアン】
れずびあん

Lesbian。女性の同性愛者、女性を恋愛対象として好きになる女性のこと。 P14-16,22-23

図解でわかるシリーズ既刊

「図解でわかる」シリーズ

好評発売中!

図解でわかる ホモ・サピエンスの秘密

定価　本体1200円＋税

最新知見をもとにひも解く、おどろきの人類700万年史。この１冊を手に、謎だらけの人類700万年史をたどる、長い長い旅に出よう。

図解でわかる 14歳からの お金の説明書

定価　本体1200円＋税

複雑怪奇なお金の正体がすきっとわかる図解集。この１冊でお金とうまく付き合うための知識を身につける。

図解でわかる 14歳から知っておきたい AI

定価　本体1200円＋税

AI（人口知能）を、その誕生から未来まで、ロボット、思想、技術、人間社会との関わりなど、多面的にわかりやすく解説。AI入門書の決定版！

図解でわかる 14歳から知る 人類の脳科学、その現在と未来

定価　本体1300円＋税

21世紀の今、「脳」の探求はどこまで進んでいるのか？　人類による脳の発見から、分析、論争、可視化、そして機械をつなげるブレイン・マシン・インターフェイスとは？　脳研究の歴史と最先端がこの１冊に！

図解でわかる 14歳から知る 日本戦後政治史

定価　本体1200円＋税

あのことって、こうだったのか！　図解で氷解する日本の戦後政治、そして日米「相互関係」の構造と歴史。選挙に初めて行く18歳にも必携本！

図解でわかる 14歳から知る 影響と連鎖の全世界史

定価　本体1200円＋税

歴史はいつも「繋がり」から見えてくる。「西洋/東洋」の枠を越えて体感する「世界史」のダイナミズムをこの１冊で！

図解でわかる 14歳からの 地政学

定価　本体1500円＋税

シフトチェンジする旧大国、揺らぐEUと中東、そして動き出したアジアの時代。これからの世界で不可欠な「平和のための地政学的思考」の基礎から最前線までをこの１冊に！

図解でわかる 14歳からの 天皇と皇室入門

定価　本体1200円＋税

いま改めて注目を浴びる天皇制。その歴史から政治的、文化的意味まで図解によってわかりやすく示した天皇・皇室入門の決定版！

図解でわかる 14歳から知っておきたい 中国

定価　本体1200円＋税

巨大国家「中国」を俯瞰する！　中国脅威論や崩壊論という視点を離れ、中国に住む人のいまとそこに至る歴史をわかりやすく図解！

14歳から
読める!わかる!
カラー図版
満載!!

SDGsを学ぶ　SUSTAINABLE DEVELOPMENT GOALS

図解でわかる 14歳からの プラスチックと 環境問題

定価　本体1500円＋税

海に流出したプラスチックごみ、矛盾だらけのリサイクル、世界で進むごみゼロ運動。使い捨て生活は、もうしたくない。その解決策の最前線。

関連するSDGs

図解でわかる 14歳から考える 資本主義

定価　本体1500円＋税

資本主義が限界を迎えた今、SDGsがめざす新しい社会のあり方を考える。「どの本よりもわかりやすく"経済"を図解している」経済アナリスト・森永卓郎氏推薦！

関連するSDGs

※その他すべての目標に関連

図解でわかる 14歳から知る 食べ物と人類の1万年史

定価　本体1500円＋税

WFP（国連世界食糧計画）が2020年ノーベル平和賞を受賞したわけは？「生きるための食べ物」はいつから「利益のための食べ物」になったのか。食べ物史1万年を追う。

関連するSDGs

図解でわかる 14歳からの 水と環境問題

定価　本体1500円＋税

SDGsの大切な課題、人類から切り離せない「水」のすべて。「水戦争の未来」を避けるための、基本知識と最新情報を豊富な図で解説。

関連するSDGs

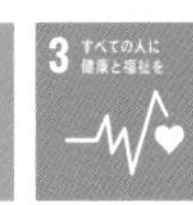

図解でわかる 14歳から知る 気候変動

定価　本体1500円＋税

多発する水害から世界経済への影響まで、いま知っておきたい、気候変動が引き起こす12のこと。アフターコロナは未来への分岐点。生き延びる選択のために。

関連するSDGs

図解でわかる 14歳からの脱炭素社会

定価　本体1500円＋税

日本が2050年を目処に実現すると表明した「脱炭素社会」。温室効果ガスの排出量「実質ゼロ」を目指し、自分も、地球も、使い捨てないために、私たちができることは？　次世代の新常識を学ぶ。

関連するSDGs

著 社会応援ネットワーク

全国の小中学校向けの新聞『子ども応援便り』編集室が、2011年東日本大震災直後に被災地の子どもたちを励まそうと、著名人から集めた「メッセージ号外」を発行したことをきっかけに設立。以降、心のケアや防災教育、パラスポーツなどの教材・動画作成や出張授業のコーディネートなど、教育現場のニーズに応えた支援活動を行う。自社発行媒体に教職志望学生向けマガジン『EDUPONT』、若者応援マガジン『YELL』など、編集書籍に『みらいの教育―学校現場をブラックからワクワクへ変える』、『いまさら聞けない！日本の教育制度』（いずれも武久出版）などがある。

社会応援ネットワークのYou Tubeチャンネル
https://www.youtube.com/channel/UCkk4mIgqnYLxB-h7-6_cI4A?sub_confirmation=1

こころの健康サポート部
https://kokoro-support.info/

イラスト　川畑日向子（細山田デザイン事務所）
図版制作・デザイン　鈴木沙季、小野安世（細山田デザイン事務所）
アートディレクション　細山田光宣
校正　鷗来堂
企画・構成・執筆　高比良美穂、若染雄太、里井普美（社会応援ネットワーク）

図解でわかる
14歳からのLGBTQ＋

2021年9月28日 初版第1刷発行
2024年8月14日 初版第3刷発行

著者　**一般社団法人社会応援ネットワーク**

発行人　森山裕之

発行所　株式会社太田出版
〒160-8571
東京都新宿区愛住町22第三山田ビル4階
Tel. 03-3359-6262　Fax. 03-3359-0040
https://www.ohtabooks.com

印刷・製本　中央精版印刷株式会社

ISBN978-4-7783-1773-7　C0030